Editionen für den Literaturunterri...
Herausgegeben von Thomas Kopfermann

Frank Wedekind

Frühlings Erwachen

Eine Kindertragödie

mit Materialien, ausgewählt von Peter Bekes

Ernst Klett Schulbuchverlag Leipzig
Leipzig Stuttgart Düsseldorf

Die innerhalb des Textes in Fußnoten stehenden Erläuterungen wurden vom Bearbeiter zur leichteren Erschließung des Textes hinzugefügt.

1. Auflage   1 7 6 5 4 | 2008 2007 2006

Alle Drucke dieser Ausgabe können im Unterricht nebeneinander benutzt werden, sie sind untereinander unverändert. Die letzte Zahl bezeichnet das Jahr dieses Druckes. Der Abdruck folgt der Ausgabe: Frank Wedekind: Werke in zwei Bänden. Band I. München: Artemis 1990 (2. Aufl. 1994): 474–548.

Die Materialien folgen der reformierten Rechtschreibung. Ausnahmen bilden Texte, bei denen künstlerische, philologische oder lizenzrechtliche Gründe einer Änderung entgegenstehen.

Materialien: © Ernst Klett Schulbuchverlag Leipzig GmbH, Leipzig 2004
Internetadresse: http://www.klett-verlag.de
Alle Rechte vorbehalten.

Redaktion: Andrea Höppner, Gaby Leppin
Umschlaggestaltung: Sandra Schneider nach Entwürfen von MetaDesign, Berlin
Umschlagfoto: Inszenierung des Thalia Theaters, Hamburg 2001, Regie: Tilman Gersch. Foto: Hans Jörg Michel, Mannheim.
Druck: Clausen & Bosse GmbH, Leck

ISBN: 3-12-358721-5

Personen

(Ein Personenverzeichnis fehlt sowohl im Erstdruck als auch in den späteren Buchausgaben.)

MELCHIOR GABOR

HERR GABOR, *sein Vater*

FRAU GABOR, *seine Mutter*

WENDLA BERGMANN

FRAU BERGMANN, *ihre Mutter*

INA MÜLLER, *Wendlas Schwester*

MORITZ STIEFEL

RENTIER[1] STIEFEL, *sein Vater*

OTTO – ROBERT – GEORG ZIRSCHNITZ – ERNST RÖBEL – HÄNSCHEN RILOW – LÄMMERMEIER, *Gymnasiasten*

MARTHA BESSEL – THEA, *Schülerinnen*

ILSE, *ein Modell*

REKTOR SONNENSTICH

HUNGERGURT – KNOCHENBRUCH – AFFENSCHMALZ – KNÜPPELDICK – ZUNGENSCHLAG – FLIEGENTOD, *Gymnasialprofessoren*

HABEBALD, *Pedell*[2]

PASTOR KAHLBAUCH

ZIEGENMELKER, *Freund Rentier Stiefels*

ONKEL PROBST

DIETHELM – REINHOLD – RUPRECHT – HELMUTH – GASTON, *Zöglinge der Korrektionsanstalt*[3]

DR. PROKRUSTES[4]

EIN SCHLOSSERMEISTER

DR. VON BRAUSEPULVER, *Medizinalrat*

DER VERMUMMTE HERR

GYMNASIASTEN, WINZER, WINZERINNEN

---

1 Rentenempfänger
2 Hausmeister
3 Erziehungsanstalt
4 In der griechischen Mythologie ein Riese, der seine Gäste durch Abhacken der Glieder jeweils der Größe des Bettes anpasst.

Dem vermummten Herrn

der Verfasser

(Geschrieben Herbst 1890 bis Ostern 1891)

Erster Akt

Erste Szene

Wohnzimmer.

WENDLA: Warum hast du mir das Kleid so lang gemacht, Mutter?

FRAU BERGMANN: Du wirst vierzehn Jahr heute! 5

WENDLA: Hätt ich gewusst, dass du mir das Kleid so lang machen werdest, ich wäre lieber nicht vierzehn geworden.

FRAU BERGMANN: Das Kleid ist nicht zu lang, Wendla. Was willst du denn! Kann ich dafür, dass mein Kind mit jedem Frühjahr wieder zwei Zoll größer ist. Du darfst doch als ausgewachsenes 10 Mädchen nicht in Prinzesskleidchen[5] einhergehen.

WENDLA: Jedenfalls steht mir mein Prinzesskleidchen besser als diese Nachtschlumpe[6]. – Lass mich's noch einmal tragen, Mutter! Nur noch den Sommer lang. Ob ich nun vierzehn zähle oder fünfzehn, dies Bußgewand wird mir immer noch recht sein. – 15 Heben wir's auf bis zu meinem nächsten Geburtstag; jetzt würd ich doch nur die Litze[7] heruntertreten.

FRAU BERGMANN: Ich weiß nicht, was ich sagen soll. Ich würde dich ja gerne so behalten, Kind, wie du gerade bist. Andere Mädchen sind stakig und plump in deinem Alter. Du bist das Gegenteil. – 20 Wer weiß, wie du sein wirst, wenn sich die andern entwickelt haben.

WENDLA: Wer weiß – vielleicht werde ich nicht mehr sein.

FRAU BERGMANN: Kind, Kind, wie kommst du auf die Gedanken!

WENDLA: Nicht, liebe Mutter; nicht traurig sein! 25

FRAU BERGMANN (*sie küssend*): Mein einziges Herzblatt!

WENDLA: Sie kommen mir so des Abends, wenn ich nicht einschlafe. Mir ist gar nicht traurig dabei, und ich weiß, dass ich dann umso besser schlafe. – Ist es sündhaft, Mutter, über derlei zu sinnen? 30

FRAU BERGMANN: Geh denn und häng das Bußgewand in den

---

5 gürtelloses Kleid, in der Taille anliegend
6 schlecht sitzendes Kleidungsstück
7 Schnur zum Einfassen von Kleidern und Schürzen

Schrank! Zieh in Gottes Namen dein Prinzesskleidchen wieder an! – Ich werde dir gelegentlich eine Handbreit Volants[8] unten ansetzen.

WENDLA (*das Kleid in den Schrank hängend*): Nein, da möcht ich
5 schon lieber gleich vollends zwanzig sein ...!

FRAU BERGMANN: Wenn du nur nicht zu kalt hast! – Das Kleidchen war dir ja seinerzeit reichlich lang; aber ...

WENDLA: Jetzt, wo der Sommer kommt? – O Mutter in den Knie-kehlen bekommt man auch als Kind kein Diphtheritis! Wer wird
10 so kleinmütig sein. In meinen Jahren friert man noch nicht – am wenigsten an die Beine. Wär's etwa besser, wenn ich zu heiß hätte, Mutter? – Dank es dem lieben Gott, wenn sich dein Herz-blatt nicht eines Morgens die Ärmel wegstutzt und dir so zwi-schen Licht abends ohne Schuhe und Strümpfe entgegentritt! –
15 Wenn ich mein Bußgewand trage, kleide ich mich darunter wie eine Elfenkönigin. ... Nicht schelten, Mütterchen! Es sieht's dann ja niemand mehr.

Zweite Szene

Sonntagabend.

20 MELCHIOR: Das ist mir zu langweilig. Ich mache nicht mehr mit.

OTTO: Dann können wir andern nur auch aufhören! – Hast du die Arbeiten, Melchior?

MELCHIOR: Spielt ihr nur weiter!

MORITZ: Wohin gehst du?

25 MELCHIOR: Spazieren.

GEORG: Es wird ja dunkel!

ROBERT: Hast du die Arbeiten schon?

MELCHIOR: Warum soll ich denn nicht im Dunkeln spazieren gehn?

ERNST: Zentralamerika! – Ludwig der Fünfzehnte! Sechzig Verse
30 Homer! – Sieben Gleichungen!

MELCHIOR: Verdammte Arbeiten!

GEORG: Wenn nur wenigstens der lateinische Aufsatz nicht auf morgen wäre!

---

8 Stoffbesatz an Damenkleidern

MORITZ: An nichts kann man denken, ohne dass einem Arbeiten da-
zwischen kommen!

OTTO: Ich gehe nach Hause.

GEORG: Ich auch, Arbeiten machen.

ERNST: Ich auch, ich auch.

ROBERT: Gute Nacht, Melchior.

MELCHIOR: Schlaft wohl! (*Alle entfernen sich bis auf Moritz und Melchior.*)

MELCHIOR: Möchte doch wissen, wozu wir eigentlich auf der Welt
sind!

MORITZ: Lieber wollt ich ein Droschkengaul sein um der Schule willen! – Wozu gehen wir in die Schule? – Wir gehen in die Schule,
damit man uns examinieren kann! – Und wozu examiniert man
uns? – Damit wir durchfallen. – Sieben müssen ja durchfallen,
schon weil das Klassenzimmer oben nur sechzig fasst. – Mir ist
so eigentümlich seit Weihnachten... hol mich der Teufel, wäre
Papa nicht, heut noch schnürt ich mein Bündel und ginge nach
Altona[9]!

MELCHIOR: Reden wir von etwas anderem. – (*Sie gehen spazieren.*)

MORITZ: Siehst du die schwarze Katze dort mit dem emporgereckten
Schweif?

MELCHIOR: Glaubst du an Vorbedeutungen?

MORITZ: Ich weiß nicht recht. – – Sie kam von drüben her. Es hat
nichts zu sagen.

MELCHIOR: Ich glaube, das ist eine Charybdis[10], in die jeder stürzt,
der sich aus der Skylla[10] religiösen Irrwahns emporgerungen. – –
Lass uns hier unter der Buche Platz nehmen. Der Tauwind fegt
über die Berge. Jetzt möchte ich droben im Wald eine junge
Dryade[11] sein, die sich die ganze lange Nacht in den höchsten
Wipfeln wiegen und schaukeln lässt...

MORITZ: Knöpf dir die Weste auf, Melchior!

MELCHIOR: Ha – wie das einem die Kleider bläht!

MORITZ: Es wird weiß Gott so stockfinster, dass man die Hand nicht
vor den Augen sieht. Wo bist du eigentlich? – – Glaubst du nicht

---

9 heute Vorort von Hamburg, früher selbständige Stadt
10 Odysseus musste sein Schiff an der Charybdis, einem gefährlichen Meeres-
schlund, und an der Skylla, einem sechsköpfigen Ungeheuer, das in der
Höhle einer Felsenklippe gegenüber der Charybdis hauste, vorbeisteuern.
11 in der griechischen Mythologie: Baumnymphe

auch, Melchior, dass das Schamgefühl im Menschen nur ein Produkt seiner Erziehung ist?

MELCHIOR: Darüber habe ich erst vorgestern noch nachgedacht. Es scheint mir immerhin tief eingewurzelt in der menschlichen Natur. Denke dir, du sollst dich vollständig entkleiden vor deinem besten Freund. Du wirst es nicht tun, wenn er es nicht zugleich auch tut. – Es ist eben auch mehr oder weniger Modesache.

MORITZ: Ich habe mir schon gedacht, wenn ich Kinder habe, Knaben und Mädchen, so lasse ich sie von früh auf im nämlichen Gemach, wenn möglich auf ein und demselben Lager, zusammen schlafen, lasse ich sie morgens und abends beim An- und Auskleiden einander behilflich sein und in der heißen Jahreszeit, die Knaben sowohl wie die Mädchen, tagsüber nichts als eine kurze, mit einem Lederriemen gegürtete Tunika aus weißem Wollstoff tragen. – Mir ist, sie müssten, wenn sie so heranwachsen, später ruhiger sein, als wir es in der Regel sind.

MELCHIOR: Das glaube ich entschieden, Moritz! – Die Frage ist nur, wenn die Mädchen Kinder bekommen, was dann?

MORITZ: Wieso Kinder bekommen?

MELCHIOR: Ich glaube in dieser Hinsicht nämlich an einen gewissen Instinkt. Ich glaube, wenn man einen Kater zum Beispiel mit einer Katze von Jugend auf zusammensperrt und beide von jedem Verkehr mit der Außenwelt fern hält, d. h. sie ganz nur ihren eigenen Trieben überlässt – dass die Katze früher oder später doch einmal trächtig wird, obgleich sie sowohl wie der Kater niemand hatten, dessen Beispiel ihnen hätte die Augen öffnen können.

MORITZ: Bei Tieren muss sich das ja schließlich von selbst ergeben.

MELCHIOR: Bei Menschen glaube ich erst recht! Ich bitte dich, Moritz, wenn deine Knaben mit den Mädchen auf ein und demselben Lager schlafen und es kommen ihnen nun unversehens die ersten männlichen Regungen – ich möchte mit jedermann eine Wette eingehen...

MORITZ: Darin magst du ja Recht haben. – Aber immerhin...

MELCHIOR: Und bei deinen Mädchen wäre es im entsprechenden Alter vollkommen das Nämliche! Nicht, dass das Mädchen gerade... man kann das ja freilich so genau nicht beurteilen... jedenfalls wäre vorauszusetzen... und die Neugierde würde das Ihrige zu tun auch nicht verabsäumen!

MORITZ: Eine Frage beiläufig –

MELCHIOR: Nun?

MORITZ: Aber du antwortest?

MELCHIOR: Natürlich!

MORITZ: Wahr?! 5

MELCHIOR: Meine Hand darauf. – – Nun, Moritz?

MORITZ: Hast du den Aufsatz schon??

MELCHIOR: So sprich doch frisch von der Leber weg! – Hier hört und sieht uns ja niemand.

MORITZ: Selbstverständlich müssten meine Kinder nämlich tags- 10 über arbeiten, in Hof und Garten, oder sich durch Spiele zerstreuen, die mit körperlicher Anstrengung verbunden sind. Sie müssten reiten, turnen, klettern und vor allen Dingen nachts nicht so weich schlafen wie wir. Wir sind schrecklich verweichlicht. – Ich glaube, man träumt gar nicht, wenn man hart 15 schläft.

MELCHIOR: Ich schlafe von jetzt bis nach der Weinlese überhaupt nur in meiner Hängematte. Ich habe mein Bett hinter den Ofen gestellt. Es ist zum Zusammenklappen. – Vergangenen Winter träumte mir einmal, ich hätte unsern Lolo so lange gepeitscht, 20 bis er kein Glied mehr rührte. Das war das Grauenhafteste, was ich je geträumt habe. – Was siehst du mich so sonderbar an?

MORITZ: Hast du sie schon empfunden?

MELCHIOR: Was?

MORITZ: Wie sagtest du? 25

MELCHIOR: Männliche Regungen?

MORITZ: M-hm.

MELCHIOR: – Allerdings!

MORITZ: Ich auch. – – – – – – – – – – – – – – – – – – –

MELCHIOR: Ich kenne das nämlich schon lange! – schon bald ein 30 Jahr.

MORITZ: Ich war wie vom Blitz gerührt.

MELCHIOR: Du hattest geträumt?

MORITZ: Aber nur ganz kurz … von Beinen im himmelblauen Trikot, die über das Katheder steigen – um aufrichtig zu sein, ich dach- 35 te, sie wollten hinüber. – Ich habe sie nur flüchtig gesehen.

MELCHIOR: Georg Zirschnitz träumte von seiner Mutter.

MORITZ: Hat er dir das erzählt?

MELCHIOR: Draußen am Galgensteg!

MORITZ: Wenn du wüsstest, was ich ausgestanden seit jener Nacht!

MELCHIOR: Gewissensbisse?

MORITZ: Gewissensbisse?? – – – T o d e s a n g s t !

MELCHIOR: Herrgott…

5 MORITZ: Ich hielt mich für unheilbar. Ich glaubte, ich litte an einem inneren Schaden. – Schließlich wurde ich nur dadurch wieder ruhiger, dass ich meine Lebenserinnerungen aufzuzeichnen begann. Ja ja, lieber Melchior, die letzten drei Wochen waren ein Gethsemane[12] für mich.

10 MELCHIOR: Ich war seinerzeit mehr oder weniger darauf gefasst gewesen. Ich schämte mich ein wenig. – Das war aber auch alles.

MORITZ: Und dabei bist du noch fast um ein ganzes Jahr jünger als ich!

MELCHIOR: Darüber, Moritz, würd ich mir keine Gedanken machen.

15 All meinen Erfahrungen nach besteht für das erste Auftauchen dieser Phantome keine bestimmte Altersstufe. Kennst du den großen Lämmermeier mit dem strohgelben Haar und der Adlernase? Drei Jahre ist der älter als ich. Hänschen Rilow sagt, der träume noch bis heute von nichts als Sandtorten und Apriko-

20 sengelee.

MORITZ: Ich bitte dich, wie kann Hänschen Rilow darüber urteilen!

MELCHIOR: Er hat ihn gefragt.

MORITZ: Er hat ihn gefragt? – Ich hätte mich nicht getraut, jemanden zu fragen.

25 MELCHIOR: Du hast mich doch auch gefragt.

MORITZ: Weiß Gott ja! – Möglicherweise hatte Hänschen auch schon sein Testament gemacht. – Wahrlich ein sonderbares Spiel, das man mit uns treibt. Und dafür sollen wir uns dankbar erweisen! Ich erinnere mich nicht, je eine Sehnsucht nach dieser

30 Art Aufregungen verspürt zu haben. Warum hat man mich nicht ruhig schlafen lassen, bis alles wieder still gewesen wäre. Meine lieben Eltern hätten hundert bessere Kinder haben können. So bin ich nun hergekommen, ich weiß nicht wie, und soll mich dafür verantworten, dass ich nicht weggeblieben bin. – Hast du

35 nicht auch schon darüber nachgedacht, Melchior, auf welche Art und Weise wir eigentlich in diesen Strudel hineingeraten?

---

12 im Neuen Testament: Garten des Gebets und Ort der Gefangennahme Jesus, gelegen am Fuße des Ölbergs bei Jerusalem

MELCHIOR: Du weißt das also noch nicht, Moritz?

MORITZ: Wie sollt ich es wissen? – Ich sehe, wie die Hühner Eier legen, und höre, dass mich Mama unter dem Herzen getragen haben will. Aber genügt denn das? – Ich erinnere mich auch, als fünfjähriges Kind schon befangen worden zu sein, wenn einer 5 die dekolletierte Cœurdame[13] aufschlug. Dieses Gefühl hat sich verloren. Indessen kann ich heute kaum mehr mit irgendeinem Mädchen sprechen, ohne etwas Verabscheuungswürdiges dabei zu denken, und – ich schwöre dir, Melchior – ich weiß nicht was. 10

MELCHIOR: Ich sage dir alles. – Ich habe es teils aus Büchern, teils aus Illustrationen, teils aus Beobachtungen in der Natur. Du wirst überrascht sein; ich wurde seinerzeit Atheist. Ich habe es auch Georg Zirschnitz gesagt! Georg Zirschnitz wollte es Hänschen Rilow sagen, aber Hänschen Rilow hatte als Kind schon alles von 15 seiner Gouvernante erfahren.

MORITZ: Ich habe den »Kleinen Meyer« von A bis Z durchgenommen. Worte – nichts als Worte und Worte! Nicht eine einzige schlichte Erklärung. O dieses Schamgefühl! – Was soll mir ein Konversationslexikon, das auf die nächstliegende Lebensfrage 20 nicht antwortet.

MELCHIOR: Hast du schon einmal zwei Hunde über die Straße laufen sehen?

MORITZ: Nein! – – Sag mir heute lieber noch nichts, Melchior. Ich habe noch Mittelamerika und Ludwig den Fünfzehnten vor mir. 25 Dazu die sechzig Verse Homer, die sieben Gleichungen, der lateinische Aufsatz – ich würde morgen wieder überall abblitzen. Um mit Erfolg büffeln zu können, muss ich stumpfsinnig wie ein Ochse sein.

MELCHIOR: Komm doch mit auf mein Zimmer. In drei viertel Stun- 30 den habe ich den Homer, die Gleichungen und zwei Aufsätze. Ich korrigiere dir einige harmlose Schnitzer hinein, so ist die Sache im Blei[14]. Mama braut uns wieder eine Limonade, und wir plaudern gemütlich über die Fortpflanzung.

MORITZ: Ich kann nicht. – Ich kann nicht gemütlich über die Fort- 35 pflanzung plaudern! Wenn du mir einen Gefallen tun willst,

---

13 Herzdame im Kartenspiel mit tiefem Kleidausschnitt
14 So ist die Sache in Ordnung.

dann gib mir deine Unterweisungen schriftlich. Schreib mir auf, was du weißt. Schreib es möglichst kurz und klar und steck es mir morgen während der Turnstunde zwischen die Bücher. Ich werde es nach Hause tragen, ohne zu wissen, dass ich es habe.
5 Ich werde es unverhofft einmal wieder finden. Ich werde nicht umhin können, es müden Auges zu durchfliegen… falls es unumgänglich notwendig ist, magst du ja auch einzelne Randzeichnungen anbringen.

MELCHIOR: Du bist wie ein Mädchen. – Übrigens wie du willst! Es ist
10 mir das eine ganz interessante Arbeit. – – Eine Frage, Moritz.

MORITZ: Hm?

MELCHIOR: – Hast du schon einmal ein Mädchen gesehen?

MORITZ: Ja!

MELCHIOR: Aber ganz?!

15 MORITZ: Vollständig!

MELCHIOR: Ich nämlich auch! – Dann werden keine Illustrationen nötig sein.

MORITZ: Während des Schützenfestes, in Leilichs anatomischem Museum[15]! Wenn es aufgekommen wäre, hätte man mich aus
20 der Schule gejagt. – Schön wie der lichte Tag, und – o so naturgetreu!

MELCHIOR: Ich war letzten Sommer mit Mama in Frankfurt – – Du willst schon gehen, Moritz?

MORITZ: Arbeiten machen. – Gute Nacht.

25 MELCHIOR: Auf Wiedersehen.

Dritte Szene

THEA, WENDLA *und* MARTHA *kommen Arm in Arm die Straße herauf.*

MARTHA: Wie einem das Wasser ins Schuhwerk dringt!

WENDLA: Wie einem der Wind um die Wangen saust!

30 THEA: Wie einem das Herz hämmert!

WENDLA: Gehn wir zur Brücke hinaus! Ilse sagte, der Fluss führe Sträucher und Bäume. Die Jungens haben ein Floß auf dem Wasser. Melchi Gabor soll gestern Abend beinah ertrunken sein.

---

15 Arbeitsräume für Mediziner mit präparierten Leichenteilen

THEA: O der kann schwimmen!

MARTHA: Das will ich meinen, Kind!

WENDLA: Wenn der nicht hätte schwimmen können, wäre er wohl sicher ertrunken!

THEA: Dein Zopf geht auf, Martha; dein Zopf geht auf! 5

MARTHA: Puh – lass ihn aufgehn! Er ärgert mich so Tag und Nacht. Kurze Haare tragen wie du darf ich nicht, das Haar offen tragen wie Wendla darf ich nicht, Ponyhaare tragen darf ich nicht, und zu Hause muss ich mir gar die Frisur machen – alles der Tanten wegen! 10

WENDLA: Ich bringe morgen eine Schere mit in die Religionsstunde. Während du »Wohl dem, der nicht wandelt« rezitierst, werd ich ihn abschneiden.

MARTHA: Um Gotteswillen, Wendla! Papa schlägt mich krumm und Mama sperrt mich drei Nächte ins Kohlenloch. 15

WENDLA: Womit schlägt er dich, Martha?

MARTHA: Manchmal ist es mir, es müsste ihnen doch etwas abgehen, wenn sie keinen so schlecht gearteten Balg hätten wie ich.

THEA: Aber Mädchen! 20

MARTHA: Hast du dir nicht auch ein himmelblaues Band durch die Hemdpasse[16] ziehen dürfen?

THEA: Rosa Atlas! Mama behauptet, Rosa stehe mir bei meinen pechschwarzen Augen.

MARTHA: Mir stand Blau reizend! – Mama riss mich am Zopf zum 25 Bett heraus. So – fiel ich mit den Händen vorauf auf die Diele. – Mama betet nämlich Abend für Abend mit uns. ...

WENDLA: Ich an deiner Stelle wäre ihnen längst in die Welt hinausgelaufen.

MARTHA: ... Da habe man's, worauf ich ausgehe! – Da habe man's ja! 30 – Aber sie wolle schon sehen – o sie wolle noch sehen! – Meiner Mutter wenigstens solle ich einmal keine Vorwürfe machen können ...

THEA: Hu – Hu –

MARTHA: Kannst du dir denken, Thea, was Mama damit meinte? 35

THEA: Ich nicht. – Du, Wendla?

WENDLA: Ich hätte sie einfach gefragt.

---

16 Stoff, der über beide Schultern des Hemdes angebracht wird

MARTHA: Ich lag auf der Erde und schrie und heulte. Da kommt Papa. Ritsch – das Hemd herunter. Ich zur Türe hinaus. Da habe man's! Ich wolle nun wohl so auf die Straße hinunter…

WENDLA: Das ist doch gar nicht wahr, Martha.

5 MARTHA: Ich fror. Ich schloss auf. Ich habe die ganze Nacht im Sack schlafen müssen.

THEA: Ich könnte meiner Lebtag in keinem Sack schlafen!

WENDLA: Ich möchte ganz gern mal für dich in deinem Sack schlafen.

10 MARTHA: Wenn man nur nicht geschlagen wird.

THEA: Aber man erstickt doch darin!

MARTHA: Der Kopf bleibt frei. Unter dem Kinn wird zugebunden.

THEA: Und dann schlagen sie dich?

MARTHA: Nein. Nur wenn etwas Besonderes vorliegt.

15 WENDLA: Womit schlägt man dich, Martha?

MARTHA: Ach was – mit allerhand. – Hält es deine Mutter auch für unanständig, im Bett ein Stück Brot zu essen?

WENDLA: Nein, nein.

MARTHA: Ich glaube immer, sie haben doch ihre Freude – wenn sie
20 auch nichts davon sagen. – Wenn ich einmal Kinder habe, ich lasse sie aufwachsen wie das Unkraut in unserem Blumengarten. Um das kümmert sich niemand, und es steht so hoch, so dicht – während die Rosen in den Beeten an ihren Stöcken mit jedem Sommer kümmerlicher blühn.

25 THEA: Wenn ich Kinder habe, kleid ich sie ganz in Rosa. Rosahüte, Rosakleidchen, Rosaschuhe. Nur die Strümpfe – die Strümpfe schwarz wie die Nacht! Wenn ich dann spazieren gehe, lass ich sie vor mir hermarschieren. – Und du, Wendla?

WENDLA: Wisst ihr denn, ob ihr welche bekommt?

30 THEA: Warum sollten wir keine bekommen?

MARTHA: Tante Euphemia hat allerdings auch keine.

THEA: Gänschen! – weil sie nicht verheiratet ist.

WENDLA: Tante Bauer war dreimal verheiratet und hat nicht ein einziges.

35 MARTHA: Wenn du welche bekommst, Wendla, was möchtest du lieber, Knaben oder Mädchen?

WENDLA: Jungens! Jungens!

THEA: Ich auch Jungens!

MARTHA: Ich auch. Lieber zwanzig Jungens als drei Mädchen.

THEA: Mädchen sind langweilig!

MARTHA: Wenn ich nicht schon ein Mädchen geworden wäre, ich würde es heute gewiss nicht mehr.

WENDLA: Das ist, glaube ich, Geschmacksache, Martha! Ich freue mich jeden Tag, dass ich Mädchen bin. Glaub mir, ich wollte mit 5 keinem Königssohn tauschen. – Darum möchte ich aber doch nur Buben!

THEA: Das ist doch Unsinn, lauter Unsinn, Wendla!

WENDLA: Aber ich bitte dich, Kind, es muss doch tausendmal erhebender sein, von einem Manne geliebt zu werden, als von einem 10 Mädchen!

THEA: Du wirst doch nicht behaupten wollen, Forstreferendar Pfälle liebe Melitta mehr als sie ihn!

WENDLA: Das will ich wohl, Thea! – Pfälle ist stolz. Pfälle ist stolz darauf, dass er Forstreferendar ist – denn Pfälle hat nichts. – Me- 15 litta ist selig, weil sie zehntausendmal mehr bekommt, als sie ist.

MARTHA: Bist du nicht stolz auf dich, Wendla?

WENDLA: Das wäre doch einfältig.

MARTHA: Wie wollt ich stolz sein an deiner Stelle. 20

THEA: Sieh doch nur, wie sie die Füße setzt – wie sie geradeaus schaut – wie sie sich hält, Martha! – Wenn das nicht Stolz ist!

WENDLA: Wozu nur?! Ich bin so glücklich, Mädchen zu sein; wenn ich kein Mädchen wär, brächt ich mich um, um das nächste Mal… 25

MELCHIOR (*geht vorüber und grüßt*).

THEA: Er hat einen wundervollen Kopf.

MARTHA: So denke ich mir den jungen Alexander, als er zu Aristoteles in die Schule ging.

THEA: Du lieber Gott, die griechische Geschichte! Ich weiß nur 30 noch, wie Sokrates in der Tonne lag, als ihm Alexander den Eselsschatten[17] verkaufte.

WENDLA: Er soll der Drittbeste in seiner Klasse sein.

THEA: Professor Knochenbruch sagt, wenn er wollte, könnte er Primus sein. 35

---

17 In einer Fabel von Äsop streiten sich zwei Männer in der Mittagshitze darüber, wer den Schatten des Esels, der nur für einen Platz bietet, nutzen dürfe.

MARTHA: Er hat eine schöne Stirne, aber sein Freund hat einen see-lenvolleren Blick.

THEA: Moritz Stiefel? – Ist das eine Schlafmütze!

MARTHA: Ich habe mich immer ganz gut mit ihm unterhalten.

5 THEA: Er blamiert einen, wo man ihn trifft. Auf dem Kinderball bei Rilows bot er mir Pralinés an. Denke dir, Wendla, die waren weich und warm. Ist das nicht...? – Er sagte, er habe sie zu lang in der Hosentasche gehabt.

WENDLA: Denke dir, Melchi Gabor sagte mir damals, er glaube an
10 nichts – nicht an Gott, nicht an ein Jenseits – an gar nichts mehr in dieser Welt.

Vierte Szene

Parkanlagen vor dem Gymnasium.

MELCHIOR, OTTO, GEORG, ROBERT, HÄNSCHEN RILOW, LÄMMERMEIER.

15 MELCHIOR: Kann mir einer von euch sagen, wo Moritz Stiefel steckt?

GEORG: Dem kann's schlecht gehn! O dem kann's schlecht gehn!

OTTO: Der treibt's so lange, bis er noch mal ganz gehörig reinfliegt!

LÄMMERMEIER: Weiß der Kuckuck, ich möchte in diesem Moment nicht in seiner Haut stecken!

20 ROBERT: Eine Frechheit! – Eine Unverschämtheit!

MELCHIOR: Wa – wa – was wisst ihr denn!

GEORG: Was wir wissen? – Na, ich sage dir ...!

LÄMMERMEIER: Ich möchte nichts gesagt haben!

OTTO: Ich auch nicht – weiß Gott nicht!

25 MELCHIOR: Wenn ihr jetzt nicht sofort...

ROBERT: Kurz und gut, Moritz Stiefel ist ins Konferenzzimmer ge-drungen.

MELCHIOR: Ins Konferenzzimmer...?

OTTO: Ins Konferenzzimmer! – Gleich nach Schluss der Latein-
30 stunde.

GEORG: Er war der Letzte; er blieb absichtlich zurück.

LÄMMERMEIER: Als ich um die Korridorecke bog, sah ich ihn die Tür öffnen.

MELCHIOR: Hol dich der ...!

35 LÄMMERMEIER: Wenn nur ihn nicht der Teufel holt!

GEORG: Vermutlich hatte das Rektorat den Schlüssel nicht abgezogen.

ROBERT: Oder Moritz Stiefel führt einen Dietrich.

OTTO: Ihm wäre das zuzutrauen.

LÄMMERMEIER: Wenn's gut geht, bekommt er einen Sonntagnach- 5
mittag.

ROBERT: Nebst einer Bemerkung ins Zeugnis!

OTTO: Wenn er bei dieser Zensur nicht ohnehin an die Luft
fliegt.

HÄNSCHEN RILOW: Da ist er! 10

MELCHIOR: Blass wie ein Handtuch.

(MORITZ *kommt in äußerster Aufregung.*)

LÄMMERMEIER: Moritz, Moritz, was du getan hast!

MORITZ: – – Nichts – – nichts – –

ROBERT: Du fieberst! 15

MORITZ: – Vor Glück – vor Seligkeit – vor Herzensjubel –

OTTO: Du bist erwischt worden?!

MORITZ: Ich bin promoviert[18]. – Melchior, ich bin promoviert! – O
jetzt kann die Welt untergehn! – Ich bin promoviert! – Wer hätte
geglaubt, dass ich promoviert werde! – Ich fass es noch nicht! – 20
Zwanzigmal hab ich's gelesen! – Ich kann's nicht glauben – du
großer Gott, es blieb! Es blieb! Ich bin promoviert! –
(*Lächelnd.*) Ich weiß nicht – so sonderbar ist mir – der Boden
dreht sich... Melchior, Melchior, wüsstest du, was ich durchge-
macht. 25

HÄNSCHEN RILOW: Ich gratuliere, Moritz. – Sei nur froh, dass du so
weggekommen!

MORITZ: Du weißt nicht, Hänschen, du ahnst nicht, was auf dem
Spiel stand. Seit drei Wochen schleiche ich an der Tür vorbei wie
am Höllenschlund. Da sehe ich heute, sie ist angelehnt. Ich glau- 30
be, wenn man mir eine Million geboten hätte – nichts, o nichts
hätte mich zu halten vermocht! – Ich stehe mitten im Zimmer –
ich schlage das Protokoll auf – blättere – finde – – und während
all der Zeit... Mir schaudert –

MELCHIOR: ... während all der Zeit? 35

MORITZ: Während all der Zeit steht die Tür hinter mir sperrangel-

---

18 in die nächsthöhere Klasse versetzt

weit offen. – Wie ich heraus… wie ich die Treppe heruntergekommen, weiß ich nicht.

HÄNSCHEN RILOW: – Wird Ernst Röbel auch promoviert?

MORITZ: O gewiss, Hänschen, gewiss! – Ernst Röbel wird gleichfalls
5 promoviert.

ROBERT: Dann musst du schon nicht richtig gelesen haben. Die Eselsbank[19] abgerechnet zählen wir mit dir und Röbel zusammen einundsechzig, während oben das Klassenzimmer mehr als sechzig nicht fassen kann.

10 MORITZ: Ich habe vollkommen richtig gelesen. Ernst Röbel wird so gut versetzt wie ich – beide allerdings vorläufig nur provisorisch. Während des ersten Quartals soll es sich dann herausstellen, wer dem andern Platz zu machen hat. – Armer Röbel! – Weiß der Himmel, mir ist um mich nicht mehr bange. Dazu
15 habe ich diesmal zu tief hinuntergeblickt.

OTTO: Ich wette fünf Mark, dass du Platz machst.

MORITZ: Du hast ja nichts. Ich will dich nicht ausrauben. – Herrgott, werd ich büffeln von heute an! – Jetzt kann ich's ja sagen – mögt ihr daran glauben oder nicht – jetzt ist ja alles gleichgültig – ich
20 – ich weiß, wie wahr es ist: Wenn ich nicht promoviert worden wäre, hätte ich mich erschossen.

ROBERT: Prahlhans!

GEORG: Der Hasenfuß!

OTTO: Dich hätte ich schießen sehen mögen!

25 LÄMMERMEIER: Eine Maulschelle[20] drauf!

MELCHIOR (*gibt ihm eine*): – – Komm, Moritz. Gehn wir zum Försterhaus!

GEORG: Glaubst du vielleicht an den Schnack?

MELCHIOR: Schert dich das? – – Lass sie schwatzen, Moritz! Fort, nur
30 fort, zur Stadt hinaus!

(*Die Professoren* HUNGERGURT *und* KNOCHENBRUCH *gehen vorüber.*)

KNOCHENBRUCH: Mir unbegreiflich, verehrter Herr Kollega, wie sich der beste meiner Schüler gerade zum allerschlechtesten so hingezogen fühlen kann.

35 HUNGERGURT: Mir auch, verehrter Herr Kollega.

---

19 Schulbank für die schlechtesten Schüler der Klasse
20 Ohrfeige

Fünfte Szene

Sonniger Nachmittag.
MELCHIOR *und* WENDLA *begegnen einander im Wald.*

MELCHIOR: Bist du's wirklich, Wendla? – Was tust denn du so allein hier oben? – Seit drei Stunden durchstreife ich den Wald die Kreuz und Quer, ohne dass mir eine Seele begegnet, und nun plötzlich trittst du mir aus dem dichtesten Dickicht entgegen!

WENDLA: Ja, ich bin's.

MELCHIOR: Wenn ich dich nicht als Wendla Bergmann kennte, ich hielte dich für eine Dryade, die aus den Zweigen gefallen.

WENDLA: Nein, nein, ich bin Wendla Bergmann. – Wo kommst denn du her?

MELCHIOR: Ich gehe meinen Gedanken nach.

WENDLA: Ich suche Waldmeister. Mama will Maitrank bereiten. Anfangs wollte sie selbst mitgehn, aber im letzten Augenblick kam Tante Bauer noch, und die steigt nicht gern. – So bin ich denn allein heraufgekommen.

MELCHIOR: Hast du deinen Waldmeister schon?

WENDLA: Den ganzen Korb voll. Drüben unter den Buchen steht er dicht wie Mattenklee[21]. – Jetzt sehe ich mich nämlich nach einem Ausweg um. Ich scheine mich verirrt zu haben. Kannst du mir vielleicht sagen, wie viel Uhr es ist?

MELCHIOR: Eben halb vier vorbei. – Wann erwartet man dich?

WENDLA: Ich glaubte, es wäre später. Ich lag eine ganze Weile am Goldbach im Moose und habe geträumt. Die Zeit verging mir so rasch; ich fürchtete, es wolle schon Abend werden.

MELCHIOR: Wenn man dich noch nicht erwartet, dann lass uns hier noch ein wenig lagern. Unter der Eiche dort ist mein Lieblingsplätzchen. Wenn man den Kopf an den Stamm zurücklehnt und durch die Äste in den Himmel starrt, wird man hypnotisiert. Der Boden ist noch warm von der Morgensonne. – Schon seit Wochen wollte ich dich etwas fragen, Wendla.

WENDLA: Aber vor fünf muss ich zu Hause sein.

MELCHIOR: Wir gehen dann zusammen. Ich nehme den Korb und

---

21 Wiese

wir schlagen den Weg durch die Runse[22] ein, so sind wir in zehn
Minuten schon auf der Brücke! – Wenn man so daliegt, die Stirn
in die Hand gestützt, kommen einem die sonderbarsten Gedanken…

5 *(Beide lagern sich unter der Eiche.)*

WENDLA: Was wolltest du mich fragen, Melchior?

MELCHIOR: Ich habe gehört, Wendla, du gehest häufig zu armen
Leuten. Du brächtest ihnen Essen, auch Kleider und Geld. Tust
du das aus eigenem Antriebe oder schickt deine Mutter dich?

10 WENDLA: Meistens schickt mich die Mutter. Es sind arme Taglöh-
nerfamilien, die eine Unmenge Kinder haben. Oft findet der
Mann keine Arbeit, dann frieren und hungern sie. Bei uns liegt
aus früherer Zeit noch so mancherlei in Schränken und Kom-
moden, das nicht mehr gebraucht wird. – Aber wie kommst du
15 darauf?

MELCHIOR: Gehst du gern oder ungern, wenn deine Mutter dich so
wohin schickt?

WENDLA: O für mein Leben gern! Wie kannst du fragen!

MELCHIOR: Aber die Kinder sind schmutzig, die Frauen sind krank,
20 die Wohnungen strotzen von Unrat, die Männer hassen dich,
weil du nicht arbeitest…

WENDLA: Das ist nicht wahr, Melchior. Und wenn es wahr wäre, ich
würde erst recht gehen!

MELCHIOR: Wieso erst recht, Wendla?

25 WENDLA: Ich würde erst recht hingehen. – Es würde mir noch viel
mehr Freude bereiten, ihnen helfen zu können.

MELCHIOR: Du gehst also um deiner Freude willen zu den armen
Leuten?

WENDLA: Ich gehe zu ihnen, weil sie arm sind.

30 MELCHIOR: Aber wenn es dir keine Freude wäre, würdest du nicht
gehen?

WENDLA: Kann ich denn dafür, dass es mir Freude macht?

MELCHIOR: Und doch sollst du dafür in den Himmel kommen! – So
ist es also richtig, was mir nun seit einem Monat keine Ruhe
35 mehr lässt! – Kann der Geizige dafür, dass es ihm keine Freude
macht, zu schmutzigen kranken Kindern zu gehen?

---

22 Furche an Berghängen

WENDLA: O dir würde es sicher die größte Freude sein!

MELCHIOR: Und doch soll er dafür des ewigen Todes sterben! – Ich werde eine Abhandlung schreiben und sie Herrn Pastor Kahlbauch einschicken. Er ist die Veranlassung. Was faselt er uns von Opferfreudigkeit! – Wenn er mir nicht antworten kann, gehe 5 ich nicht mehr in die Kinderlehre und lasse mich nicht konfirmieren.

WENDLA: Warum willst du deinen lieben Eltern den Kummer bereiten! Lass dich doch konfirmieren; den Kopf kostet's dich nicht. Wenn unsere schrecklichen weißen Kleider und eure Schlepp- 10 hosen nicht wären, würde man sich vielleicht noch dafür begeistern können.

MELCHIOR: Es gibt keine Aufopferung! Es gibt keine Selbstlosigkeit! – Ich sehe die Guten sich ihres Herzens freun, sehe die Schlechten beben und stöhnen – ich sehe dich, Wendla Bergmann, 15 deine Locken schütteln und lachen, und mir wird so ernst dabei wie einem Geächteten. – – Was hast du vorhin geträumt, Wendla, als du am Goldbach im Grase lagst?

WENDLA: – – Dummheiten – Narreteien –

MELCHIOR: Mit offenen Augen?! 20

WENDLA: Mir träumte, ich wäre ein armes, armes Bettelkind, ich würde früh fünf schon auf die Straße geschickt, ich müsste betteln den ganzen langen Tag in Sturm und Wetter, unter hartherzigen, rohen Menschen. Und käm ich abends nach Hause, zitternd vor Hunger und Kälte, und hätte so viel Geld 25 nicht, wie mein Vater verlangt, dann würd ich geschlagen – geschlagen –

MELCHIOR: Das kenne ich, Wendla. Das hast du den albernen Kindergeschichten zu danken. Glaub mir, so brutale Menschen existieren nicht mehr. 30

WENDLA: O doch, Melchior, du irrst. – Martha Bessel wird Abend für Abend geschlagen, dass man andern Tags Striemen sieht. O was die leiden muss! Siedend heiß wird es einem, wenn sie erzählt. Ich bedaure sie so furchtbar, ich muss oft mitten in der Nacht in die Kissen weinen. Seit Monaten denke ich darüber nach, wie 35 man ihr helfen kann. – Ich wollte mit Freuden einmal acht Tage an ihrer Stelle sein.

MELCHIOR: Man sollte den Vater kurzweg verklagen. Dann würde ihm das Kind weggenommen.

WENDLA: Ich, Melchior, bin in meinem Leben nie geschlagen worden – nicht ein einziges Mal. Ich kann mir kaum denken, wie das tut, geschlagen zu werden. Ich habe mich schon selber geschlagen, um zu erfahren, wie einem dabei ums Herz wird. – Es muss
5   ein grauenvolles Gefühl sein.

MELCHIOR: Ich glaube nicht, dass je ein Kind dadurch besser wird.

WENDLA: Wodurch besser wird?

MELCHIOR: Dass man es schlägt.

WENDLA: – Mit dieser Gerte zum Beispiel! – Hu, ist die zäh und
10   dünn.

MELCHIOR: Die zieht Blut!

WENDLA: Würdest du mich nicht einmal damit schlagen?

MELCHIOR: Wen?

WENDLA: Mich.

15   MELCHIOR: Was fällt dir ein, Wendla!

WENDLA: Was ist denn dabei?

MELCHIOR: O sei ruhig! – Ich schlage dich nicht.

WENDLA: Wenn ich dir's doch erlaube!

MELCHIOR: Nie, Mädchen!

20   WENDLA: Aber wenn ich dich darum bitte, Melchior!

MELCHIOR: Bist du nicht bei Verstand?

WENDLA: Ich bin in meinem Leben nie geschlagen worden!

MELCHIOR: Wenn du um so etwas bitten kannst …!

WENDLA: – Bitte – bitte –

25   MELCHIOR: Ich will dich bitten lehren! – (*Er schlägt sie.*)

WENDLA: Ach Gott – ich spüre nicht das Geringste!

MELCHIOR: Das glaub ich dir – – durch all deine Röcke durch …

WENDLA: So schlag mich doch an die Beine!

MELCHIOR: Wendla! – (*Er schlägt sie stärker.*)

30   WENDLA: Du streichelst mich ja! – Du streichelst mich!

MELCHIOR: Wart Hexe, ich will dir den Satan austreiben!

(Er wirft den Stock beiseite und schlägt derart mit den Fäusten drein,
dass sie in ein fürchterliches Geschrei ausbricht.
Er kehrt sich nicht daran, sondern drischt wie wütend auf sie los,
35   *während ihm die dicken Tränen über die Wangen rinnen.*
Plötzlich springt er empor, fasst sich mit beiden Händen
an die Schläfen und stürzt, aus tiefster Seele jammervoll
aufschluchzend, in den Wald hinein.)

Zweiter Akt

Erste Szene

Abend auf Melchiors Studierzimmer.
Das Fenster steht offen, die Lampe brennt auf dem Tisch.
MELCHIOR *und* MORITZ *auf dem Kanapee.*   5

MORITZ: Jetzt bin ich wieder ganz munter, nur etwas aufgeregt. –
Aber in der Griechischstunde habe ich doch geschlafen wie der
besoffene Polyphem[23]. Nimmt mich wunder, dass mich der alte
Zungenschlag nicht in die Ohren gezwickt. – Heut früh wäre ich
um ein Haar noch zu spät gekommen. – Mein erster Gedanke   10
beim Erwachen waren die Verba auf $\mu\iota$[24]. – Himmel-Herrgott-
Teufel-Donnerwetter, während des Frühstücks und den Weg entlang habe ich konjugiert, dass mir grün vor den Augen wurde. –
Kurz nach drei muss ich abgeschnappt[25] sein. Die Feder hat mir
noch einen Klecks ins Buch gemacht. Die Lampe qualmte, als   15
Mathilde mich weckte, in den Fliederbüschen unter dem Fenster
zwitscherten die Amseln so lebensfroh – mir ward gleich wieder
unsagbar melancholisch zumute. Ich band mir den Kragen um
und fuhr mit der Bürste durchs Haar. – Aber man fühlt sich,
wenn man seiner Natur etwas abgerungen!   20
MELCHIOR: Darf ich dir eine Zigarette drehen?
MORITZ: Danke, ich rauche nicht. – Wenn es nun nur so weiter geht!
Ich will arbeiten und arbeiten, bis mir die Augen zum Kopf he-
rausplatzen. – Ernst Röbel hat seit den Ferien schon sechsmal
nichts gekonnt; dreimal im Griechischen, zweimal bei Kno-   25
chenbruch; das letzte Mal in der Literaturgeschichte. Ich war erst
fünfmal in der bedauernswerten Lage; und von heute ab kommt
es überhaupt nicht mehr vor! – Röbel erschießt sich nicht. Röbel
hat keine Eltern, die ihm ihr Alles opfern. Er kann, wann er will,
Söldner, Cowboy oder Matrose werden. Wenn ich durchfalle,   30

---

23 Mythische Gestalt: riesenhafter Zyklop in »Odyssee« von Homer. Odysseus
   machte ihn betrunken und stach ihm mit einem glühenden Holzpfahl das
   Auge aus.
24 komplizierte Konjugationsklasse griechischer Verben
25 eingeschlafen

rührt meinen Vater der Schlag, und Mama kommt ins Irrenhaus.
So was erlebt man nicht! – Vor dem Examen habe ich zu Gott ge-
fleht, er möge mich schwindsüchtig werden lassen, auf dass der
Kelch ungenossen vorübergehe. Er ging vorüber – wenngleich
5 mir auch heute noch seine Aureole[26] aus der Ferne entgegen-
leuchtet, dass ich Tag und Nacht den Blick nicht zu heben wage.
– Aber nun ich die Stange erfasst, werde ich mich auch hinauf-
schwingen. Dafür bürgt mir die unabänderliche Konsequenz,
dass ich nicht stürze, ohne das Genick zu brechen.

10 MELCHIOR: Das Leben ist von einer ungeahnten Gemeinheit. Ich
hätte nicht übel Lust, mich in die Zweige zu hängen. – Wo Mama
mit dem Tee nur bleibt!

MORITZ: Dein Tee wird mir gut tun, Melchior! Ich zittre nämlich.
Ich fühle mich so eigentümlich vergeistert. Betaste mich bitte
15 mal. Ich sehe – ich höre – ich fühle viel deutlicher – und doch
alles so traumhaft – oh, so stimmungsvoll. – Wie sich dort im
Mondschein der Garten dehnt, so still, so tief, als ging er ins Un-
endliche. – Unter den Büschen treten umflorte Gestalten[27] hervor, huschen in atemloser Geschäftigkeit über die Lichtungen
20 und verschwinden im Halbdunkel. Mir scheint, unter dem Kas-
tanienbaum soll eine Ratsversammlung gehalten werden. – Wollen wir nicht hinunter, Melchior?

MELCHIOR: Warten wir, bis wir Tee getrunken.

MORITZ: – Die Blätter flüstern so emsig. – Es ist, als hörte ich
25 Großmutter selig die Geschichte von der »Königin ohne Kopf«
erzählen. – Das war eine wunderschöne Königin, schön wie die
Sonne, schöner als alle Mädchen im Land. Nur war sie leider
ohne Kopf auf die Welt gekommen. Sie konnte nicht essen,
nicht trinken, konnte nicht sehen, nicht lachen und auch nicht
30 küssen. Sie vermochte sich mit ihrem Hofstaat nur durch ihre
kleine weiche Hand zu verständigen. Mit den zierlichen Füßen
strampelte sie Kriegserklärungen und Todesurteile. Da wurde sie
eines Tages von einem Könige besiegt, der zufällig zwei Köpfe
hatte, die sich das ganze Jahr in den Haaren lagen und dabei so
35 aufgeregt disputierten, dass keiner den andern zu Wort kommen
ließ. Der Oberhofzauberer nahm nun den kleineren der beiden

---

26 Heiligenschein
27 durch dünnen Seidenstoff verhüllte Gestalten

und setzte ihn der Königin auf. Und siehe, er stand ihr vortrefflich. Darauf heiratete der König die Königin, und die beiden lagen einander nun nicht mehr in den Haaren, sondern küssten einander auf Stirn, auf Wangen und Mund und lebten noch lange lange Jahre glücklich und in Freuden … Verwünschter Unsinn! Seit den Ferien kommt mir die kopflose Königin nicht aus dem Kopf. Wenn ich ein schönes Mädchen sehe, seh ich es ohne Kopf – und erscheine mir dann plötzlich selber als kopflose Königin … Möglich, dass mir nochmal einer aufgesetzt wird.

> (FRAU GABOR *kommt mit dem dampfenden Tee,* 10
> *den sie vor Moritz und Melchior auf den Tisch setzt.*)

FRAU GABOR: Hier Kinder, lasst es euch munden. – Guten Abend, Herr Stiefel; wie geht es Ihnen!

MORITZ: Danke Frau Gabor. – Ich belausche den Reigen dort unten.

FRAU GABOR: Sie sehen aber gar nicht gut aus. – Fühlen Sie sich nicht 15 wohl?

MORITZ: Es hat nichts zu sagen. Ich bin die letzten Abende etwas spät zu Bett gekommen.

MELCHIOR: Denke dir, er hat die ganze Nacht durchgearbeitet.

FRAU GABOR: Sie sollten so etwas nicht tun, Herr Stiefel. Sie sollten 20 sich schonen. Bedenken Sie Ihre Gesundheit. Die Schule ersetzt Ihnen die Gesundheit nicht. – Fleißig spazieren gehn in der frischen Luft! Das ist in Ihren Jahren mehr wert als ein korrektes Mittelhochdeutsch.

MORITZ: Ich werde fleißig spazieren gehn. Sie haben Recht. Man 25 kann auch während des Spazierengehens fleißig sein. Dass ich noch selbst nicht auf den Gedanken gekommen! – Die schriftlichen Arbeiten müsste ich immerhin zu Hause machen.

MELCHIOR: Das Schriftliche machst du bei mir; so wird es uns beiden leichter. – Du weißt ja, Mama, dass Max von Trenk am Nerven- 30 fieber darniederlag! – Heute Mittag kommt Hänschen Rilow von Trenks Totenbett zu Rektor Sonnenstich, um anzuzeigen, dass Trenk soeben in seiner Gegenwart gestorben sei. – »So?«, sagt Sonnenstich, »hast du von letzter Woche her nicht noch zwei Stunden nachzusitzen? – Hier ist der Zettel an den Pedell. Mach, 35 dass die Sache endlich ins Reine kommt! Die ganze Klasse soll an der Beerdigung teilnehmen.« – Hänschen war wie gelähmt.

FRAU GABOR: Was hast du da für ein Buch, Melchior?

MELCHIOR: »Faust«.

FRAU GABOR: Hast du es schon gelesen?

MELCHIOR: Noch nicht zu Ende.

MORITZ: Wir sind gerade in der Walpurgisnacht.

5 FRAU GABOR: Ich hätte an deiner Stelle noch ein, zwei Jahre damit gewartet.

MELCHIOR: Ich kenne kein Buch, Mama, in dem ich so viel Schönes gefunden. Warum hätte ich es nicht lesen sollen.

FRAU GABOR: – Weil du es nicht verstehst.

10 MELCHIOR: Das kannst du nicht wissen, Mama. Ich fühle sehr wohl, dass ich das Werk in seiner ganzen Erhabenheit zu erfassen noch nicht imstande bin …

MORITZ: Wir lesen immer zu zweit; das erleichtert das Verständnis außerordentlich!

15 FRAU GABOR: Du bist alt genug, Melchior, um wissen zu können, was dir zuträglich und was dir schädlich ist. Tu, was du vor dir verantworten kannst. Ich werde die Erste sein, die es dankbar anerkennt, wenn du mir niemals Grund gibst, dir etwas vorenthalten zu müssen. – Ich wollte dich nur darauf aufmerksam machen,

20 dass auch das Beste nachteilig wirken kann, wenn man noch die Reife nicht besitzt, um es richtig aufzunehmen. – Ich werde mein Vertrauen immer lieber in dich als in irgendbeliebige erzieherische Maßregeln setzen. – – Wenn ihr noch etwas braucht, Kinder, dann komm herüber, Melchior, und rufe mich. Ich bin

25 auf meinem Schlafzimmer. (*Ab.*)

MORITZ: – Deine Mama meinte die Geschichte mit Gretchen.

MELCHIOR: Haben wir uns auch nur einen Moment dabei aufgehalten!

MORITZ: Faust selber kann sich nicht kaltblütiger darüber hinweg-

30 gesetzt haben!

MELCHIOR: Das Kunstwerk gipfelt doch schließlich nicht in dieser Schändlichkeit! – Faust könnte dem Mädchen die Heirat versprochen, könnte es daraufhin verlassen haben, er wäre in meinen Augen um kein Haar weniger strafbar. Gretchen könnte ja

35 meinethalben an gebrochenem Herzen sterben. – Sieht man, wie jeder darauf immer gleich krampfhaft die Blicke richtet, man möchte glauben, die ganze Welt drehe sich um P… und V…![28]

---

28 Penis und Vagina

MORITZ: Wenn ich aufrichtig sein soll, Melchior, so habe ich nämlich tatsächlich das Gefühl, seit ich deinen Aufsatz gelesen. – In den ersten Ferientagen fiel er mir vor die Füße. Ich hatte den Plötz[29] in der Hand. – Ich verriegelte die Tür und durchflog die flimmernden Zeilen, wie eine aufgeschreckte Eule einen brennenden Wald durchfliegt – ich glaube, ich habe das meiste mit geschlossenen Augen gelesen. Wie eine Reihe dunkler Erinnerungen klangen mir deine Auseinandersetzungen ins Ohr, wie ein Lied, das einer als Kind einst fröhlich vor sich hingesummt und das ihm, wie er eben im Sterben liegt, herzerschütternd aus dem Mund eines andern entgegentönt. – Am heftigsten zog mich in Mitleidenschaft, was du vom Mädchen schreibst. Ich werde die Eindrücke nicht mehr los. Glaub mir, Melchior, Unrecht leiden zu müssen ist süßer, denn Unrecht tun! Unverschuldet ein so süßes Unrecht über sich ergehen lassen zu müssen, scheint mir der Inbegriff aller irdischen Seligkeit.

MELCHIOR: – Ich will meine Seligkeit nicht als Almosen!

MORITZ: Aber warum denn nicht?

MELCHIOR: Ich will nichts, was ich mir nicht habe erkämpfen müssen!

MORITZ: Ist dann das noch Genuss, Melchior?! – Das Mädchen, Melchior, genießt wie die seligen Götter. Das Mädchen wehrt sich dank seiner Veranlagung. Es hält sich bis zum letzten Augenblick von jeder Bitternis frei, um mit einem Male alle Himmel über sich hereinbrechen zu sehen. Das Mädchen fürchtet die Hölle noch in dem Moment, da es ein erblühendes Paradies wahrnimmt. Sein Empfinden ist so frisch wie der Quell, der dem Fels entspringt. Das Mädchen ergreift einen Pokal, über den noch kein irdischer Hauch geweht, einen Nektarkelch, dessen Inhalt es, wie er flammt und flackert, hinunterschlingt… Die Befriedigung, die der Mann dabei findet, denke ich mir schal und abgestanden.

MELCHIOR: Denke sie dir, wie du magst, aber behalte sie für dich. – Ich denke sie mir nicht gern…

29 Karl Julius Ploetz (1819–1891); Gymnasiallehrer, Verfasser eines im Fach Geschichte viel benutzten Nachschlagewerkes.

Zweite Szene

Wohnzimmer.

FRAU BERGMANN (*den Hut auf, die Mantille[30] um, einen Korb am Arm mit strahlendem Gesicht durch die Mitteltür eintretend*): Wendla! –
Wendla!

WENDLA (*erscheint in Unterröcken und Korsett in der Seitentüre rechts*):
Was gibt's, Mutter?

FRAU BERGMANN: Du bist schon auf, Kind? – Sieh, das ist schön von dir!

WENDLA: Du warst schon ausgegangen?

FRAU BERGMANN: Zieh dich nun nur flink an! – Du musst gleich zu Ina hinunter, du musst ihr den Korb da bringen!

WENDLA (*sich während des Folgenden vollends ankleidend*): Du warst bei Ina? – Wie geht es Ina? – Will's noch immer nicht bessern?

FRAU BERGMANN: Denk dir, Wendla, diese Nacht war der Storch bei ihr und hat ihr einen kleinen Jungen gebracht.

WENDLA: Einen Jungen? – Einen Jungen! – O das ist herrlich – – Deshalb die langwierige Influenza!

FRAU BERGMANN: Einen prächtigen Jungen!

WENDLA: Den muss ich sehen, Mutter! – So bin ich nun zum dritten Male Tante geworden – Tante von einem Mädchen und zwei Jungens!

FRAU BERGMANN: Und was für Jungens! – So geht's eben, wenn man so dicht beim Kirchendach wohnt! – Morgen sind's erst zwei Jahr, dass sie in ihrem Mullkleid die Stufen hinanstieg.

WENDLA: Warst du dabei, als er ihn brachte?

FRAU BERGMANN: Er war eben wieder fortgeflogen. – Willst du dir nicht eine Rose vorstecken?

WENDLA: Warum kamst du nicht etwas früher hin, Mutter?

FRAU BERGMANN: Ich glaube aber beinahe, er hat dir auch etwas mitgebracht – eine Brosche oder was.

WENDLA: Es ist wirklich schade!

FRAU BERGMANN: Ich sage dir ja, dass er dir eine Brosche mitgebracht hat!

---

30 Schulterumhang für Frauen

WENDLA: Ich habe Broschen genug…

FRAU BERGMANN: Dann sei auch zufrieden, Kind. Was willst du denn noch?

WENDLA: Ich hätte so furchtbar gerne gewusst, ob er durchs Fenster oder durch den Schornstein geflogen kam. 5

FRAU BERGMANN: Da musst du Ina fragen. Ha, das musst du Ina fragen, liebes Herz! Ina sagt dir das ganz genau. Ina hat ja eine ganze halbe Stunde mit ihm gesprochen.

WENDLA: Ich werde Ina fragen, wenn ich hinunterkomme.

FRAU BERGMANN: Aber ja nicht vergessen, du süßes Engelsgeschöpf! 10 Es interessiert mich wirklich selbst, zu wissen, ob er durchs Fenster oder durch den Schornstein kam.

WENDLA: Oder soll ich nicht lieber den Schornsteinfeger fragen? – Der Schornsteinfeger muss es doch am besten wissen, ob er durch den Schornstein fliegt oder nicht. 15

FRAU BERGMANN: Nicht den Schornsteinfeger, Kind; nicht den Schornsteinfeger. Was weiß der Schornsteinfeger vom Storch! – Der schwatzt dir allerhand dummes Zeug vor, an das er selbst nicht glaubt… Wa – was glotzt du so auf die Straße hinunter??

WENDLA: Ein Mann, Mutter – dreimal so groß wie ein Ochse! – mit 20 Füßen wie Dampfschiffe…!

FRAU BERGMANN (*ans Fenster stürzend*): Nicht möglich! – Nicht möglich! –

WENDLA (*zugleich*): Eine Bettlade hält er unterm Kinn, fiedelt die »Wacht am Rhein« drauf – – eben biegt er um die Ecke… 25

FRAU BERGMANN: Du bist und bleibst doch ein Kindskopf! – Deine alte einfältige Mutter so in Schrecken jagen! – Geh, nimm deinen Hut. Nimmt mich wunder, wann bei dir einmal der Verstand kommt. – Ich habe die Hoffnung aufgegeben.

WENDLA: Ich auch, Mütterchen, ich auch. – Um meinen Verstand 30 ist es ein traurig Ding. – Hab ich nun eine Schwester, die ist seit zwei und einem halben Jahre verheiratet, und ich selber bin zum dritten Male Tante geworden, und habe gar keinen Begriff, wie das alles zugeht… Nicht böse werden, Mütterchen; nicht böse werden! Wen in der Welt soll ich denn fragen als dich! Bitte, 35 liebe Mutter, sag es mir! Sag's mir, geliebtes Mütterchen! Ich schäme mich vor mir selber. Ich bitte dich, Mutter, sprich! Schilt mich nicht, dass ich so etwas frage. Gib mir Antwort – wie geht es zu? – wie kommt das alles? – Du kannst doch im Ernst nicht verlangen, dass ich bei meinen vierzehn Jahren noch an den Storch glaube.

FRAU BERGMANN: Aber du großer Gott, Kind, wie bist du sonderbar! – Was du für Einfälle hast! – Das kann ich ja doch wahrhaftig nicht!

WENDLA: Warum denn nicht, Mutter! – Warum denn nicht! – Es kann ja doch nichts Hässliches sein, wenn sich alles darüber freut!

FRAU BERGMANN: O – o Gott behüte mich! – Ich verdiente ja... Geh, zieh dich an, Mädchen; zieh dich an!

WENDLA: Ich gehe, ... Und wenn dein Kind nun hingeht und fragt den Schornsteinfeger?

FRAU BERGMANN: Aber das ist ja zum Närrischwerden! – Komm Kind, komm her, ich sag es dir! Ich sage dir alles... O du grundgütige Allmacht! – nur heute nicht, Wendla! – Morgen, übermorgen, kommende Woche... wann du nur immer willst, liebes Herz...

WENDLA: Sag es mir heute, Mutter; sag es mir jetzt! Jetzt gleich! – Nun ich dich so entsetzt gesehen, kann ich erst recht nicht eher wieder ruhig werden.

FRAU BERGMANN: – Ich kann nicht, Wendla.

WENDLA: Oh, warum kannst du nicht, Mütterchen! – Hier knie ich zu deinen Füßen und lege dir meinen Kopf in den Schoß. Du deckst mir deine Schürze über den Kopf und erzählst und erzählst, als wärst du mutterseelenallein im Zimmer. Ich will nicht zucken; ich will nicht schreien; ich will geduldig ausharren, was immer kommen mag.

FRAU BERGMANN: – Der Himmel weiß, Wendla, dass ich nicht die Schuld trage! Der Himmel kennt mich! – Komm in Gottes Namen! – Ich will dir erzählen, Mädchen, wie du in diese Welt hineingekommen. – So hör mich an, Wendla...

WENDLA (*unter ihrer Schürze*): Ich höre.

FRAU BERGMANN (*ekstatisch*): – Aber es geht ja nicht, Kind! – Ich kann es ja nicht verantworten. – Ich verdiene ja, dass man mich ins Gefängnis setzt – dass man dich von mir nimmt...

WENDLA (*unter ihrer Schürze*): Fass dir ein Herz, Mutter!

FRAU BERGMANN: So höre denn ...!

WENDLA (*unter ihrer Schürze, zitternd*): O Gott, o Gott!

FRAU BERGMANN: Um ein Kind zu bekommen – du verstehst mich Wendla?

WENDLA: Rasch, Mutter – ich halt's nicht mehr aus.

FRAU BERGMANN: – Um ein Kind zu bekommen – muss man den
Mann – mit dem man verheiratet ist … lieben – lieben sag ich
dir – wie man nur einen Mann lieben kann! Man muss ihn so
sehr von ganzem Herzen lieben, wie – wie sich's nicht sagen 5
lässt! Man muss ihn lieben, Wendla, wie du in deinen Jahren
noch gar nicht lieben kannst … Jetzt weißt du's.

WENDLA (*sich erhebend*): Großer – Gott – im Himmel!

FRAU BERGMANN: Jetzt weißt du, welche Prüfungen dir bevorstehen!

WENDLA: – Und das ist alles? 10

FRAU BERGMANN: So wahr mir Gott helfe! – – Nimm nun den Korb da
und geh zu Ina hinunter. Du bekommst dort Schokolade und
Kuchen dazu. – Komm, lass dich noch einmal betrachten – die
Schnürstiefel, die seidenen Handschuhe, die Matrosentaille[31],
die Rosen im Haar … dein Röckchen wird dir aber wahrhaftig 15
nachgerade zu kurz, Wendla!

WENDLA: Hast du für Mittag schon Fleisch gebracht, Mütterchen?

FRAU BERGMANN: Der liebe Gott behüte dich und segne dich! –
Ich werde dir gelegentlich eine Handbreit Volants unten ansetzen. 20

Dritte Szene

HÄNSCHEN RILOW (*ein Licht in der Hand, verriegelt die Tür hinter sich
und öffnet den Deckel*): Hast du zu Nacht gebetet, Desdemona[32]?
(*Er zieht eine Reproduktion der Venus von Palma Vecchio[33] aus dem
Busen.*) – Du siehst mir nicht nach Vaterunser aus, Holde – kon- 25
templativ[34] des Kommenden gewärtig, wie in dem süßen Augenblick aufkeimender Glückseligkeit, als ich dich bei Jonathan
Schlesinger[35] im Schaufenster liegen sah – ebenso berückend
noch diese geschmeidigen Glieder, diese sanfte Wölbung der

---

31 Taille am Matrosenkleidchen der Mädchen, das im 19. Jh. dem Matrosenan-
zug für Jungen für Mädchen nachgebildet wurde.

32 Zitat aus Shakespeares Drama »Othello« (V,2)

33 Bild des italienischen Malers Iacopo Negretti, genannt Palma Vecchio (1480
bis 1528)

34 betrachtend

35 erdachter Name eines Kunsthändlers

Hüften, diese jugendlich straffen Brüste – o, wie berauscht von Glück muss der große Meister gewesen sein, als das vierzehnjährige Original vor seinen Blicken hingestreckt auf dem Diwan lag!

5 Wirst du mich auch bisweilen im Traum besuchen? – Mit ausgebreiteten Armen empfang ich dich und will dich küssen, dass dir der Atem ausgeht. Du ziehst bei mir ein wie die angestammte Herrin in ihr verödetes Schloss. Tor und Türen öffnen sich von unsichtbarer Hand, während der Springquell unten im Parke

10 fröhlich zu plätschern beginnt ...

Die Sache will's! – Die Sache will's! – Dass ich nicht aus frivoler Regung morde, sagt dir das fürchterliche Pochen in meiner Brust. Die Kehle schnürt sich mir zu im Gedanken an meine einsamen Nächte. Ich schwöre dir bei meiner Seele, Kind, dass nicht

15 Überdruss mich beherrscht. Wer wollte sich rühmen, deiner überdrüssig geworden zu sein!

Aber du saugst mir das Mark aus den Knochen, du krümmst mir den Rücken, du raubst meinen jungen Augen den letzten Glanz. – Du bist mir zu anspruchsvoll in deiner unmenschlichen

20 Bescheidenheit, zu aufreibend mit deinen unbeweglichen Gliedmaßen! – Du oder ich! und ich habe den Sieg davongetragen.

Wenn ich sie herzählen wollte – all die Entschlafenen, mit denen ich hier den nämlichen Kampf gekämpft! –: Psyche von Thumann[36] – noch ein Vermächtnis der spindeldürren Mademoi-

25 selle Angelique, dieser Klapperschlange im Paradies meiner Kinderjahre; Io[37] von Corregio[38]; Galathea[39] von Lossow[40]; dann ein Amor von Bouguereau[41]; Ada[42] von J. van Beers[43] – diese Ada, die ich Papa aus einem Geheimfach seines Sekretärs entführen musste, um sie meinem Harem einzuverleiben; eine

36 Paul Thumann (1834–1908), deutscher Maler
37 in der griechischen Mythologie: Tochter des Flussgottes Inachos, Geliebte des Zeus
38 Antonio Allegri, genannt Corregio (um 1484–1534), italienischer Maler von sinnlichen Frauengestalten
39 in der griechischen Mythologie: Tochter des Meergottes Nereus
40 Heinrich Lossow (1843–1897), deutscher Maler
41 Adolphe William Bouguereau (1825–1905), französischer Maler von mythologischen Szenen
42 Gräfin von Holland (um 1210)
43 Jan van Beers (1852–1927), belgischer Maler

zitternde, zuckende Leda[44] von Makart[45], die ich zufällig unter den Kollegienheften meines Bruders fand – sieben, du blühende Todeskandidatin, sind dir vorangeeilt auf diesem Pfad in den Tartarus[46]! Lass dir das zum Troste gereichen und suche nicht durch diese flehentlichen Blicke noch meine Qualen ins Ungeheure zu steigern.

Du stirbst nicht um deiner, du stirbst um meiner Sünden willen! – Aus Notwehr gegen mich begehe ich blutenden Herzens den siebenten Gattenmord. Es liegt etwas Tragisches in der Rolle des Blaubart[47]. Ich glaube, seine gemordeten Frauen insgesamt litten nicht so viel wie er beim Erwürgen jeder Einzelnen.

Aber mein Gewissen wird ruhiger werden, mein Leib wird sich kräftigen, wenn du Teufelin nicht mehr in den rotseidenen Polstern meines Schmuckkästchens residierst. Statt deiner lasse ich dann die Lurlei von Bodenhausen[48] oder die Verlassene von Linger[49] oder die Loni von Defregger[50] in das üppige Lustgemach einziehen – so werde ich mich umso rascher erholt haben! Noch ein Vierteljährchen vielleicht, und dein entschleiertes Josaphat[51], süße Seele, hätte an meinem armen Hirn zu zehren begonnen wie die Sonne am Butterkloß. Es war hohe Zeit, die Trennung von Tisch und Bett zu erwirken.

Brr, – ich fühle einen Heliogabalus[52] in mir! Moritura me salutat![53] – Mädchen, Mädchen, warum presst du deine Knie zusammen? – warum auch jetzt noch? – – angesichts der unerforschlichen Ewigkeit?? – Eine Zuckung und ich gebe dich frei! – Eine weibliche Regung, ein Zeichen von Lüsternheit, von

---

44 in der griechischen Mythologie: Mutter der Helena und Geliebte des Zeus
45 Hans Makart (1840–1884), österreichischer Historienmaler
46 in der griechischen Mythologie: Abgrund unterhalb der Unterwelt
47 Gestalt aus einem Märchen von Charles Perrault (1628–1703): ein Frauenmörder
48 Cuno Freiherr von Bodenhausen (geb. 1852), Maler romantischer Figurenbilder
49 Friedrich Wilhelm Linger (geb. 1787), Kupferstecher und Radierer
50 Franz von Defregger (1835–1921), österreichischer Maler von Bildern aus dem Tiroler Bauernleben
51 im Alten Testament: Ort des Jüngsten Gerichts über die Feinde des Volkes Gottes; hier: Bild für den weiblichen Schoß
52 römischer Kaiser (204–222 n. Chr.), führte ein ausschweifendes Leben, brüskierte die römische Tradition durch Einführung eines syrischen Sonnenkults
53 Die Todgeweihte grüßt mich!

Sympathie, Mädchen! – ich will dich in Gold rahmen lassen, dich über meinem Bett aufhängen! – Ahnst du denn nicht, dass nur deine Keuschheit meine Ausschweifungen gebiert? – Wehe, wehe über die Unmenschlichen!

5 … Man merkt eben immer, dass sie eine musterhafte Erziehung genossen hat. – Mir geht es ja ebenso.

Hast du zu Nacht gebetet, Desdemona?

Das Herz krampft sich mir zusammen – – Unsinn! – Auch die heilige Agnes starb um ihrer Zurückhaltung willen und war

10 nicht halb so nackt wie du! – Einen Kuss noch auf deinen blühenden Leib, deine kindlich schwellende Brust – deine süß-gerundeten – deine grausamen Knie …

Die Sache will's, die Sache will's, mein Herz!

Lasst sie mich euch nicht nennen, keusche Sterne!

15 Die Sache will's! –

(*Das Bild fällt in die Tiefe; er schließt den Deckel.*)

Vierte Szene

Ein Heuboden.
MELCHIOR *liegt auf dem Rücken im frischen Heu.*
20 WENDLA *kommt die Leiter herauf.*

WENDLA: Hier hast du dich verkrochen? – Alles sucht dich. Der Wagen ist wieder hinaus. Du musst helfen. Es ist ein Gewitter im Anzug.

MELCHIOR: Weg von mir! – Weg von mir!

25 WENDLA: Was ist dir denn? – Was verbirgst du dein Gesicht?

MELCHIOR: Fort, fort! – Ich werfe dich die Tenne hinunter.

WENDLA: Nun geh ich erst recht nicht. – (*Kniet neben ihm nieder.*) Warum kommst du nicht mit auf die Matte hinaus, Melchior? – Hier ist es schwül und düster. Werden wir auch nass bis auf die

30 Haut, was macht uns das!

MELCHIOR: Das Heu duftet so herrlich. – Der Himmel draußen muss schwarz wie ein Bahrtuch sein. – Ich sehe nur noch den leuch-tenden Mohn an deiner Brust – und dein Herz hör ich schlagen –

WENDLA: – – Nicht küssen, Melchior! – Nicht küssen!

35 MELCHIOR: – Dein Herz – hör ich schlagen –

WENDLA: – – Man liebt sich – wenn man küsst – – – – – Nicht, nicht! – –

MELCHIOR: O glaub mir, es gibt keine Liebe! – Alles Eigennutz, alles Egoismus! – Ich liebe dich so wenig, wie du mich liebst. – –

WENDLA: – – Nicht! – – – – – – – – Nicht, Melchior! – –

MELCHIOR: – – – Wendla!

WENDLA: O Melchior! – – – – – – – – nicht – – nicht – –

Fünfte Szene

FRAU GABOR (*sitzt, schreibt*):

Lieber Herr Stiefel!

Nachdem ich 24 Stunden über alles, was Sie mir schreiben, nach-gedacht und wieder nachgedacht, ergreife ich schweren Herzens die Feder. Den Betrag zur Überfahrt nach Amerika kann ich Ihnen – ich gebe Ihnen meine heiligste Versicherung – nicht verschaf-fen. Erstens habe ich so viel nicht zu meiner Verfügung, und zwei-tens, wenn ich es hätte, wäre es die denkbar größte Sünde, Ihnen die Mittel zur Ausführung einer so folgenschweren Unbedacht-samkeit an die Hand zu geben. Bitter Unrecht würden Sie mir tun, Herr Stiefel, in dieser Weigerung ein Zeichen mangelnder Liebe zu erblicken. Es wäre umgekehrt die gröbste Verletzung meiner Pflicht als mütterliche Freundin, wollte ich mich durch Ihre mo-mentane Fassungslosigkeit dazu bestimmen lassen, nun auch mei-nerseits den Kopf zu verlieren und meinen ersten nächstliegenden Impulsen blindlings nachzugeben. Ich bin gern bereit – falls Sie es wünschen – an Ihre Eltern zu schreiben. Ich werde Ihre Eltern davon zu überzeugen suchen, dass Sie im Laufe dieses Quartals getan haben, was Sie tun konnten, dass Sie Ihre Kräfte erschöpft, derart, dass eine rigorose Beurteilung Ihres Geschickes nicht nur ungerechtfertigt wäre, sondern in erster Linie im höchsten Grade nachteilig auf Ihren geistigen und körperlichen Gesundheitszu-stand wirken könnte.

Dass Sie mir andeutungsweise drohen, im Fall Ihnen die Flucht nicht ermöglicht wird, sich das Leben nehmen zu wollen, hat mich, offen gesagt, Herr Stiefel, etwas befremdet. Sei ein Unglück noch so unverschuldet, man sollte sich nie und nimmer zur Wahl

unlauterer Mittel hinreißen lassen. Die Art und Weise, wie Sie mich, die ich Ihnen stets nur Gutes erwiesen, für einen eventuellen entsetzlichen Frevel Ihrerseits verantwortlich machen wollen, hat etwas, das in den Augen eines schlecht denkenden Men-
5 schen gar zu leicht zum Erpressungsversuch werden könnte. Ich muss gestehen, dass ich mir dieses Vorgehens von Ihnen, der Sie doch sonst so gut wissen, was man sich selber schuldet, zu allerletzt gewärtig gewesen wäre. Indessen hege ich die feste Überzeugung, dass Sie noch zu sehr unter dem Eindruck des ersten
10 Schreckens standen, um sich Ihrer Handlungsweise vollkommen bewusst werden zu können.

Und so hoffe ich denn auch zuversichtlich, dass diese meine Worte Sie bereits in gefassterer Gemütsstimmung antreffen. Nehmen Sie die Sache, wie Sie liegt. Es ist meiner Ansicht nach durch-
15 aus unzulässig, einen jungen Mann nach seinen Schulzeugnissen zu beurteilen. Wir haben zu viele Beispiele, dass sehr schlechte Schüler vorzügliche Menschen geworden und umgekehrt ausgezeichnete Schüler sich im Leben nicht sonderlich bewährt haben. Auf jeden Fall gebe ich Ihnen die Versicherung, dass ihr Missge-
20 schick, soweit das von mir abhängt, in Ihrem Verkehr mit Melchior nichts ändern soll. Es wird mir stets zur Freude gereichen, meinen Sohn mit einem jungen Manne umgehn zu sehen, der sich, mag ihn nun die Welt beurteilen wie sie will, auch meine vollste Sympathie zu gewinnen vermochte.
25 Und somit Kopf hoch, Herr Stiefel! – Solche Krisen dieser oder jener Art treten an jeden von uns heran, und wollen eben überstanden sein. Wollte da ein jeder gleich zu Dolch und Gift greifen, es möchte recht bald keine Menschen mehr auf der Welt geben. Lassen Sie bald wieder etwas von sich hören und seien Sie herzlich
30 gegrüßt von Ihrer Ihnen unverändert zugetanen

mütterlichen Freundin

Fanny G.

Sechste Szene

Bergmanns Garten im Morgensonnenglanz.

WENDLA: Warum hast du dich aus der Stube geschlichen? – Veilchen suchen! – Weil mich Mutter lächeln sieht. – Warum bringst du auch die Lippen nicht mehr zusammen? – Ich weiß nicht. – Ich weiß es ja nicht, ich finde nicht Worte…
Der Weg ist wie ein Pelücheteppich[54] – kein Steinchen, kein Dorn. – Meine Füße berühren den Boden nicht… Oh, wie ich die Nacht geschlummert habe!
Hier standen sie. – Mir wird ernsthaft wie einer Nonne beim Abendmahl. – Süße Veilchen! – Ruhig, Mütterchen. Ich will mein Bußgewand anziehn. – Ach Gott, wenn jemand käme, dem ich um den Hals fallen und erzählen könnte.

Siebente Szene

Abenddämmerung. Der Himmel ist leicht bewölkt, der Weg schlängelt sich durch niedres Gebüsch und Riedgras. In einiger Entfernung hört man den Fluss rauschen.

MORITZ: Besser ist besser. – Ich passe nicht hinein. Mögen sie einander auf die Köpfe steigen. – Ich ziehe die Tür hinter mir zu und trete ins Freie. – Ich gebe nicht so viel darum, mich herumdrücken zu lassen.
Ich habe mich nicht aufgedrängt. Was soll ich mich jetzt aufdrängen! – Ich habe keinen Vertrag mit dem lieben Gott. Mag man die Sache drehen, wie man sie drehen will. Man hat mich gepresst. – Meine Eltern mache ich nicht verantwortlich. Immerhin mussten sie auf das Schlimmste gefasst sein. Sie waren alt genug, um zu wissen, was sie taten. Ich war ein Säugling, als ich zur Welt kam – sonst wär ich wohl auch noch so schlau gewesen, ein anderer zu werden. – Was soll ich dafür büßen, dass alle andern schon da waren!
Ich müsste ja auf den Kopf gefallen sein… macht mir jemand einen tollen Hund zum Geschenk, dann gebe ich ihm seinen tol-

---

54 samtartiger Teppich

len Hund[55] zurück. Und will er seinen tollen Hund nicht zurück-
nehmen, dann bin ich menschlich und …

Ich müsste ja auf den Kopf gefallen sein!

Man wird ganz per Zufall geboren und sollte nicht nach reif-
lichster Überlegung – – – es ist zum Totschießen!

– Das Wetter zeigte sich wenigstens rücksichtsvoll. Den ganzen
Tag sah es nach Regen aus und nun hat es sich doch gehalten. –
Es herrscht eine seltene Ruhe in der Natur. Nirgends etwas Grel-
les, Aufreizendes. Himmel und Erde sind wie durchsichtiges
Spinnewebe. Und dabei scheint sich alles so wohl zu fühlen. Die
Landschaft ist lieblich wie eine Schlummermelodie – »schlafe,
mein Prinzchen, schlaf ein«, wie Fräulein Snandulia
sang. Schade, dass sie die Ellbogen ungraziös hält! – Am Cäci-
lienfest[56] habe ich zum letzten Male getanzt. Snandulia tanzt
nur mit Partien[57]. Ihre Seidenrobe war hinten und vorn ausge-
schnitten. Hinten bis auf den Taillengürtel und vorne bis zur Be-
wusstlosigkeit. – Ein Hemd kann sie nicht angehabt haben …

– –

Das wäre etwas, was mich noch fesseln könnte. – Mehr der Ku-
riosität halber. – Es muss ein sonderbares Empfinden sein – – ein
Gefühl, als würde man über Stromschnellen gerissen – – – Ich
werde es niemandem sagen, dass ich unverrichteter Sache wie-
derkehre. Ich werde so tun, als hätte ich alles das mitgemacht …
Es hat etwas Beschämendes, Mensch gewesen zu sein, ohne das
Menschlichste kennen gelernt zu haben. – Sie kommen aus
Ägypten, verehrter Herr, und haben die Pyramiden nicht ge-
sehn?!

Ich will heute nicht wieder weinen. Ich will nicht wieder an
mein Begräbnis denken – – Melchior wird mir einen Kranz auf
den Sarg legen. Pastor Kahlbauch wird meine Eltern trösten.
Rektor Sonnenstich wird Beispiele aus der Geschichte zitieren.
– Einen Grabstein werd ich wahrscheinlich nicht bekommen.
Ich hätte mir eine schneeweiße Marmorurne auf schwarzem Sye-
nitsockel[58] gewünscht – ich werde sie ja gottlob nicht vermissen.
Die Denkmäler sind für die Lebenden, nicht für die Toten.

---

55 ein an der Tollwut erkrankter Hund
56 Fest zu Ehren der heiligen Cäcilie: römische Märtyrerin
57 Heiratsmöglichkeiten
58 körniges Tiefengestein aus Alkalifeldspat

Ich brauchte wohl ein Jahr, um in Gedanken von allen Abschied zu nehmen. Ich will nicht wieder weinen. Ich bin froh, ohne Bitterkeit zurückblicken zu dürfen. Wie manchen schönen Abend ich mit Melchior verlebt habe! – unter den Uferweiden; beim Forsthaus; am Heerweg draußen, wo die fünf Linden stehen; auf 5 dem Schlossberg, zwischen den lauschigen Trümmern der Runenburg. – – – Wenn die Stunde gekommen, will ich aus Leibeskräften an Schlagsahne denken. Schlagsahne hält nicht auf. Sie stopft und hinterlässt dabei doch einen angenehmen Nachgeschmack. 10

Auch die Menschen hatte ich mir unendlich schlimmer gedacht. Ich habe keinen gefunden, der nicht sein Bestes gewollt hätte. Ich habe manchen bemitleidet um meinetwillen.

Ich wandle zum Altar wie der Jüngling im alten Etrurien[59], dessen letztes Röcheln der Brüder Wohlergehen für das kommende 15 Jahr erkauft. – Ich durchkoste Zug für Zug die geheimnisvollen Schauer der Loslösung. Ich schluchze vor Wehmut über mein Los. – – Das Leben hat mir die kalte Schulter gezeigt. Von drüben her sehe ich ernste freundliche Blicke winken: die kopflose Königin, die kopflose Königin – Mitgefühl, mich mit weichen 20 Armen erwartend... Eure Gebote gelten für Unmündige; ich trage mein Freibillett in mir. Sinkt die Schale, dann flattert der Falter davon; das Trugbild geniert nicht mehr. – Ihr solltet kein tolles Spiel mit dem Schwindel treiben! Der Nebel zerrinnt; das Leben ist Geschmacksache. 25

ILSE (*in abgerissenen Kleidern, ein buntes Tuch um den Kopf, fasst ihn von rückwärts an der Schulter*): Was hast du verloren?

MORITZ: Ilse?!

ILSE: Was suchst du hier?

MORITZ: Was erschreckst du mich so? 30

ILSE: Was suchst du? – Was hast du verloren?

MORITZ: Was erschreckst du mich denn so entsetzlich?

ILSE: Ich komme aus der Stadt. Ich gehe nach Hause.

MORITZ: Ich weiß nicht, was ich verloren habe.

ILSE: Dann hilft auch dein Suchen nichts. 35

MORITZ Sakerment, Sakerment!!

ILSE: Seit vier Tagen bin ich nicht zu Hause gewesen.

---

59 antike Landschaft im westlichen Mittelitalien

MORITZ: – Lautlos wie eine Katze!

ILSE: Weil ich meine Ballschuhe anhabe. – Mutter wird Augen machen! – Komm bis an unser Haus mit!

MORITZ: Wo hast du wieder herumgestrolcht?

5 ILSE: In der Priapia[60]!

MORITZ: Priapia!

ILSE: Bei Nohl, bei Fehrendorf, bei Padinsky, bei Lenz, Rank, Spühler – bei allen möglichen! – Kling, kling – die wird springen!

10 MORITZ: Malen sie dich?

ILSE: Fehrendorf malt mich als Säulenheilige[61]. Ich stehe auf einem korinthischen Kapitäl. Fehrendorf, sag ich dir, ist eine verhauene Nudel[62]. Das letzte Mal zertrat ich ihm eine Tube. Er wischt mir die Pinsel ins Haar. Ich versetze ihm eine Ohrfeige. Er

15 wirft mir die Palette an den Kopf. Ich werfe die Staffelei um. Er mit dem Malstock hinter mir drein über Divan, Tische, Stühle, ringsum durchs Atelier. Hinterm Ofen lag eine Skizze: – Brav sein, oder ich zerreiße sie! – Er schwor Amnestie und hat mich dann schließlich noch schrecklich – schrecklich, sag ich dir – ab-

20 geküsst.

MORITZ: Wo übernachtest du, wenn du in der Stadt bleibst?

ILSE: Gestern waren wir bei Nohl – vorgestern bei Bojokewitsch – am Sonntag bei Oikonomopulos. Bei Padinsky gab's Sekt. Valabregez hatte seinen Pestkranken verkauft. Adolar trank

25 aus dem Aschenbecher. Lenz sang die Kindesmörderin[63], und Adolar schlug die Gitarre krumm. Ich war so betrunken, dass sie mich zu Bett bringen mussten. – – Du gehst immer noch zur Schule, Moritz?

MORITZ: Nein, nein… dieses Quartal nehme ich meine Entlassung.

30 ILSE: Du hast Recht. Ach, wie die Zeit vergeht, wenn man Geld verdient! – Weißt du noch, wie wir Räuber spielten? – Wendla Bergmann und du und ich und die andern, wenn ihr abends herauskamt und kuhwarme Ziegenmilch bei uns trankt? – Was macht Wendla? Ich sah sie noch bei der Überschwemmung.

---

60 Männergesellschaft; Anspielung auf den griechischen Gott der Fruchtbarkeit
61 asketische Mönche, die ihr Leben auf einer Säule zubrachten
62 verrückter Kerl
63 Gedicht von Friedrich Schiller

Was macht Melchi Gabor? – Schaut er noch so tiefsinnig drein? – In der Singstunde standen wir einander gegenüber.

MORITZ: Er philosophiert.

ILSE: Wendla war derweil bei uns und hat der Mutter Eingemachtes gebracht. Ich saß den Tag bei Isidor Landauer. Er braucht 5 mich zur heiligen Maria, Mutter Gottes, mit dem Christuskind. Er ist ein Tropf und widerlich. Hu, wie ein Wetterhahn! – Hast du Katzenjammer?

MORITZ: Von gestern Abend! – Wir haben wie Nilpferde gezecht. Um fünf Uhr wankt ich nach Hause. 10

ILSE: Man braucht dich nur anzusehen. – Waren auch Mädchen dabei?

MORITZ: Arabella, die Biernymphe, Andalusierin! – Der Wirt ließ uns alle die ganze Nacht durch mit ihr allein.

ILSE: Man braucht dich nur anzusehn, Moritz! – Ich kenne keinen 15 Katzenjammer. Vergangenen Karneval kam ich drei Tage und drei Nächte in kein Bett und nicht aus den Kleidern. Von der Redoute[64] ins Café, mittags in Bellavista, abends Tingl-Tangl, nachts zur Redoute. Lena war dabei und die dicke Viola. – In der dritten Nacht fand mich Heinrich. 20

MORITZ: Hatte er dich denn gesucht?

ILSE: Er war über meinen Arm gestolpert. Ich lag bewusstlos im Straßenschnee. – Darauf kam ich zu ihm hin. Vierzehn Tage verließ ich seine Behausung nicht – eine gräuliche Zeit! – Morgens musste ich seinen persischen Schlafrock überwerfen und abends 25 in schwarzem Pagenkostüm durchs Zimmer gehn; an Hals, an Knien und Ärmeln weiße Spitzenaufschläge. Täglich fotografierte er mich in anderem Arrangement – einmal auf der Sofalehne als Ariadne[65], einmal als Leda, einmal als Ganymed[66], einmal auf allen Vieren als weiblicher Nebuchod-Nosor[67]. Dabei 30 schwärmte er von Umbringen, von Erschießen, Selbstmord und Kohlendampf. Frühmorgens nahm er eine Pistole ins Bett, lud sie voll Spitzkugeln und setzte sie mir auf die Brust: Ein Zwin-

---

64 Maskenball

65 In der griechischen Mythologie gab sie Theseus das Garnknäuel, mit dem dieser nach der Tötung des Minotaurus aus dem Labyrinth herausfand.

66 in der griechischen Mythologie: schöner Jüngling, Mundschenk des Zeus

67 Chaldäerkönig Nebukadnezar II. (605–562 v. Chr.), nach einer Weissagung sollte er sein Reich verlieren und sich wie ein Ochse vom Gras ernähren

kern, so drück ich! – Oh, er hätte gedrückt, Moritz; er hätte gedrückt! – Dann nahm er das Dings in den Mund wie ein Pustrohr. Das wecke den Selbsterhaltungstrieb. Und dann – Brrrr – die Kugel wäre mir durchs Rückgrat gegangen.

5 MORITZ: Lebt Heinrich noch?

ILSE: Was weiß ich! – Über dem Bett war ein Deckenspiegel im Plafond[68] eingelassen. Das Kabinett schien turmhoch und hell wie ein Opernhaus. Man sah sich leibhaftig vom Himmel herunterhängen. Grauenvoll habe ich die Nächte geträumt. – Gott, o
10 Gott, wenn es erst wieder Tag würde! – Gute Nacht, Ilse. Wenn du schläfst, bist du zum Morden schön!

MORITZ: Lebt dieser Heinrich noch?

ILSE: So Gott will, nicht! – Wie er eines Tages Absinth[69] holt, werfe ich den Mantel um und schleiche mich auf die Straße. Der Fa-
15 sching war aus; die Polizei fängt mich ab; was ich in Mannskleidern wolle? – Sie brachten mich zur Hauptwache. Da kamen Nohl, Fehrendorf, Padinsky, Spühler, Oikonomopulos, die ganze Priapia, und bürgten für mich. Im Fiaker[70] transportierten sie mich auf Adolars Atelier. Seither bin ich der Horde
20 treu. Fehrendorf ist ein Affe, Nohl ist ein Schwein. Bojokewitsch ein Uhu, Loison eine Hyäne, Oikonomopulos ein Kamel – darum lieb ich sie doch, einen wie den andern und möchte mich an sonst niemand hängen, und wenn die Welt voll Erzengel und Millionäre wär!

25 MORITZ: – Ich muss zurück, Ilse.

ILSE: Komm bis an unser Haus mit!

MORITZ: – Wozu? – Wozu?

ILSE: Kuhwarme Ziegenmilch trinken! – Ich will dir Locken brennen und dir ein Glöcklein um den Hals hängen. – Wir haben
30 auch noch ein Hü-Pferdchen, mit dem du spielen kannst.

MORITZ: Ich muss zurück. – Ich habe noch die Sassaniden[71], die Bergpredigt[72] und das Parallelepipedon[73] auf dem Gewissen – Gute Nacht, Ilse!

---

68 Decke eines Raumes
69 Likör oder Branntwein aus Wermut mit Anis- und Fenchelzusatz
70 Mietkutsche, Pferdedroschke
71 persische Herrscherdynastie (3.–7. Jh. n. Chr.)
72 bedeutende Rede Jesus aus dem Neuen Testament
73 von drei Paaren paralleler Ebenen begrenzter Raum (Würfel)

ILSE: Schlummre süß!... Geht ihr wohl noch zum Wigwam hinunter, wo Melchi Gabor meinen Tomahawk begrub? – Brrr! Bis es an euch kommt, lieg ich im Kehricht. (*Eilt davon.*)

MORITZ (*allein*): – – – Ein Wort hätte es gekostet. – (*Er ruft.*) – Ilse! – Ilse! – – Gottlob sie hört nicht mehr. 5

– Ich bin in der Stimmung nicht. – Dazu bedarf es eines freien Kopfes und eines fröhlichen Herzens. – Schade, schade um die Gelegenheit!

... ich werde sagen, ich hätte mächtige Kristallspiegel über meinen Betten gehabt – hätte mir ein unbändiges Füllen gezogen – 10 hätte es in langen schwarzseidenen Strümpfen und schwarzen Lackstiefeln und schwarzen, langen Glacé-Handschuhen, schwarzen Samt um den Hals, über den Teppich an mir vorbeistolzieren lassen – hätte es in einem Wahnsinnsanfall in meinem Kissen erwürgt... ich werde lächeln, wenn von Wollust die Rede 15 ist... ich werde –

Aufschreien! – Aufschreien! – Du sein, Ilse! Priapia! Besinnungslosigkeit! – Das nimmt die Kraft mir! – Dieses Glückskind, dieses Sonnenkind – dieses Freudenmädchen auf meinem Jammerweg! – – O! – O! 20

– –

(*Im Ufergebüsch.*)

Hab ich sie doch unwillkürlich wieder gefunden – die Rasenbank. Die Königskerzen scheinen gewachsen seit gestern. Der Ausblick zwischen den Weiden durch ist derselbe noch. – Der Fluss zieht schwer wie geschmolzenes Blei. – Dass ich nicht ver- 25 gesse... (*Er zieht Frau Gabors Brief aus der Tasche und verbrennt ihn.*) – Wie die Funken irren – hin und her, kreuz und quer – Seelen! – Sternschnuppen! –

Eh ich angezündet, sah man die Gräser noch und einen Streifen am Horizont. – Jetzt ist es dunkel geworden. Jetzt gehe ich nicht 30 mehr nach Hause.

Dritter Akt

Erste Szene

Konferenzzimmer.
An den Wänden die Bildnisse von Pestalozzi und J. J. Rousseau.
5 *Um einen grünen Tisch, über dem mehrere Gasflammen brennen,*
sitzen die Professoren AFFENSCHMALZ, KNÜPPELDICK, HUNGERGURT,
KNOCHENBRUCH, ZUNGENSCHLAG *und* FLIEGENTOD.
Am oberen Ende auf erhöhtem Sessel Rektor SONNENSTICH.
Pedell HABEBALD *kauert neben der Tür.*

10 SONNENSTICH: ... Sollte einer der Herren noch etwas zu bemerken
haben? – – Meine Herren! – Wenn wir nicht umhin können, bei
einem hohen Kultusministerium die Relegation[74] unseres
schuldbeladenen Schülers zu beantragen, so können wir das aus
den schwerwiegendsten Gründen nicht. Wir können es nicht,
15 um das bereits hereingebrochene Unglück zu sühnen, wir können es ebenso wenig, um unsere Anstalt für die Zukunft vor
ähnlichen Schlägen sicherzustellen. Wir können es nicht, um
unseren schuldbeladenen Schüler für den demoralisierenden
Einfluss, den er auf seinen Klassengenossen ausgeübt, zu züchti-
20 gen; wir können es zu allerletzt, um ihn zu verhindern, den
nämlichen Einfluss auf seine übrigen Klassengenossen auszuüben. Wir können es – und der, meine Herren, möchte der
schwerwiegendste sein – aus dem jeden Einwand niederschla-
genden Grunde nicht, weil wir unsere Anstalt vor den Verhee-
25 rungen einer Selbstmordepidemie zu schützen haben, wie sie bereits an verschiedenen Gymnasien zum Ausbruch gelangt und
bis heute allen Mitteln, den Gymnasiasten an seine durch seine
Heranbildung zum Gebildeten gebildeten Existenzbedingungen
zu fesseln, gespottet hat. – – Sollte einer der Herren noch etwas
30 zu bemerken haben?
KNÜPPELDICK: Ich kann mich nicht länger der Überzeugung ver-
schließen, dass es endlich an der Zeit wäre, irgendwo ein Fenster
zu öffnen.

---

74 Verweisung eines Schülers von der Schule

ZUNGENSCHLAG: Es he-herrscht hier eine A-A-Atmosphäre wie in un-
terirdischen Kata-Katakomben, wie in den A-Aktensälen des weiland[75] Wetzlarer Ka-Ka-Ka-Ka-Kammergerichtes[76].

SONNENSTICH: Habebald!

HABEBALD: Befehlen, Herr Rektor! 5

SONNENSTICH: Öffnen Sie ein Fenster! Wir haben Gott sei Dank Atmosphäre genug draußen. – Sollte einer der Herren noch etwas
zu bemerken haben?

FLIEGENTOD: Wenn meine Herren Kollegen ein Fenster öffnen lassen
wollen, so habe ich meinerseits nichts dagegen einzuwenden. 10
Nur möchte ich bitten, das Fenster nicht gerade hinter meinem
Rücken öffnen lassen zu wollen!

SONNENSTICH: Habebald!

HABEBALD: Befehlen, Herr Rektor!

SONNENSTICH: Öffnen Sie das andere Fenster! – – Sollte einer der Her- 15
ren noch etwas zu bemerken haben?

HUNGERGURT: Ohne die Kontroverse meinerseits belasten zu wollen,
möchte ich an die Tatsache erinnern, dass das andere Fenster seit
den Herbstferien zugemauert ist.

SONNENSTICH: Habebald! 20

HABEBALD: Befehlen, Herr Rektor!

SONNENSTICH: Lassen Sie das andere Fenster geschlossen! – Ich sehe
mich genötigt, meine Herren, den Antrag zur Abstimmung zu
bringen. Ich ersuche diejenigen Herren Kollegen, die dafür sind,
dass das einzig in Frage kommen könnende Fenster geöffnet 25
werde, sich von ihren Sitzen zu erheben. (*Er zählt.*) – Eins, zwei,
drei. – Eins, zwei, drei. – Habebald!

HABEBALD: Befehlen, Herr Rektor!

SONNENSTICH: Lassen Sie das eine Fenster gleichfalls geschlossen! –
Ich meinerseits hege die Überzeugung, dass die Atmosphäre 30
nichts zu wünschen übrig lässt! – – Sollte einer der Herren noch
etwas zu bemerken haben? – – Meine Herren! – Setzen wir den
Fall, dass wir die Relegation unseres schuldbeladenen Schülers
bei einem hohen Kultusministerium zu beantragen unterlassen,
so wird uns ein hohes Kultusministerium für das hereingebro- 35
chene Unglück verantwortlich machen. Von den verschiedenen

---

75 einstmals
76 oberster Gerichtshof des Deutschen Reiches von 1693 bis 1806

von der Selbstmord-Epidemie heimgesuchten Gymnasien sind
diejenigen, in denen fünfundzwanzig Prozent den Verheerun-
gen zum Opfer gefallen, von einem hohen Kultusministerium
suspendiert worden. Vor diesem erschütterndsten Schlage unse-
5 re Anstalt zu wahren, ist unsere Pflicht als Hüter und Bewahrer
unserer Anstalt. Es schmerzt uns tief, meine Herren Kollegen,
dass wir die sonstige Qualifikation unseres schuldbeladenen
Schülers als mildernden Umstand gelten zu lassen nicht in der
Lage sind. Ein nachsichtiges Verfahren, das sich unserem schuld-
10 beladenen Schüler gegenüber rechtfertigen ließe, ließe sich der
zurzeit in denkbar bedenklichster Weise gefährdeten Existenz
unserer Anstalt gegenüber nicht rechtfertigen. Wir sehen uns in
die Notwendigkeit versetzt, den Schuldbeladenen zu richten,
um nicht als die Schuldlosen gerichtet zu werden. – Habebald!
15 HABEBALD: Befehlen, Herr Rektor!
SONNENSTICH: Führen Sie ihn herauf!

(*Habebald ab.*)

ZUNGENSCHLAG: Wenn die he-herrschende A-A-Atmosphäre maßge-
benderseits wenig oder nichts zu wünschen übrig lässt, so möch-
20 te ich den Antrag stellen, während der So-Sommerferien auch
noch das andere Fenster zu-zu-zu-zu-zu-zu-zu-zu-zuzumauern!
FLIEGENTOD: Wenn unserem lieben Kollega Zungenschlag unser
Lokal nicht genügend ventiliert erscheint, so möchte ich den
Antrag stellen, unserm lieben Herrn Kollega Zungenschlag einen
25 Ventilator in die Stirnhöhle applizieren[77] zu lassen.
ZUNGENSCHLAG: Da-da-das brauche ich mir nicht gefallen zu lassen!
– Gro-Grobheiten brauche ich mir nicht gefallen zu lassen! – Ich
bin meiner fü-fü-fü-fü-fünf Sinne mächtig…!
SONNENSTICH: Ich muss unsere Herren Kollegen Fliegentod und
30 Zungenschlag um einigen Anstand ersuchen. Unser schuldbela-
dener Schüler scheint mir bereits auf der Treppe zu sein.

(*Habebald öffnet die Türe, worauf* MELCHIOR, *bleich, aber gefasst,
vor die Versammlung tritt.*)

SONNENSTICH: Treten Sie näher an den Tisch heran! – Nachdem Herr
35 Rentier Stiefel von dem ruchlosen Frevel seines Sohnes Kenntnis

---

77 anbringen

erhalten, durchsuchte der fassungslose Vater, in der Hoffnung, auf diesem Wege möglicherweise dem Anlass der verabscheuungswürdigen Untat auf die Spur zu kommen, die hinterlassenen Effekten[78] seines Sohnes Moritz und stieß dabei an einem nicht zur Sache gehörigen Orte auf ein Schriftstück, welches uns 5 ohne noch die verabscheuungswürdige Untat an sich verständlich zu machen, für die dabei maßgebend gewesene moralische Zerrüttung des Untäters eine leider nur allzu ausreichende Erklärung liefert. Es handelt sich um eine in Gesprächsform abgefasste, »Der Beischlaf« betitelte, mit lebensgroßen Abbildun- 10 gen versehene, von den schamlosesten Unflätereien strotzende, zwanzig Seiten lange Abhandlung, die den geschraubtesten Anforderungen, die ein verworfener Lüstling an eine unzüchtige Lektüre zu stellen vermöchte, entsprechen dürfte. –

MELCHIOR: Ich habe… 15

SONNENSTICH: Sie haben sich ruhig zu verhalten! – Nachdem Herr Rentier Stiefel uns fragliches Schriftstück ausgehändigt und wir dem fassungslosen Vater das Versprechen erteilt, um jeden Preis den Autor zu ermitteln, wurde die uns vorliegende Handschrift mit den Handschriften sämtlicher Mitschüler des weiland Ruch- 20 losen verglichen und ergab nach dem einstimmigen Urteil der gesamten Lehrerschaft, sowie in vollkommenem Einklang mit dem Spezial-Gutachten unseres geschätzten Herrn Kollegen für Kalligraphie die denkbar bedenklichste Ähnlichkeit mit der Ihrigen. – 25

MELCHIOR: Ich habe…

SONNENSTICH: Sie haben sich ruhig zu verhalten! – Ungeachtet der erdrückenden Tatsache der vonseiten unantastbarer Autoritäten anerkannten Ähnlichkeit glauben wir uns vorderhand noch jeder weiteren Maßnahmen enthalten zu dürfen, um in erster 30 Linie den Schuldigen über das ihm demgemäß zur Last fallende Vergehen wider die Sittlichkeit in Verbindung mit daraus resultierender Veranlassung zur Selbstentleibung ausführlich zu vernehmen. –

MELCHIOR: Ich habe… 35

SONNENSTICH: Sie haben die genau präzisierten Fragen, die ich Ihnen der Reihe nach vorlege, eine um die andere, mit einem

---

78 Wertpapiere

schlichten und bescheidenen »Ja« oder »Nein« zu beantworten.
– Habebald!

HABEBALD: Befehlen, Herr Rektor!

SONNENSTICH: Die Akten! – – Ich ersuche unseren Schriftführer,
5 Herrn Kollega Fliegentod, von nun an möglichst wortgetreu zu
protokollieren. – (*Zu Melchior.*) Kennen Sie dieses Schriftstück?

MELCHIOR: Ja.

SONNENSTICH: Wissen Sie, was dieses Schriftstück enthält?

MELCHIOR: Ja.

10 SONNENSTICH: Ist die Schrift dieses Schriftstücks die Ihrige?

MELCHIOR: Ja.

SONNENSTICH: Verdankt dieses unflätige Schriftstück Ihnen seine
Abfassung?

MELCHIOR: Ja. – Ich ersuche Sie, Herr Rektor, mir e i n e Unflätigkeit
15 darin nachzuweisen.

SONNENSTICH: Sie haben die genau präzisierten Fragen, die ich
Ihnen vorlege, mit einem schlichten und bescheidenen »Ja«
oder »Nein« zu beantworten!

MELCHIOR: Ich habe nicht mehr und nicht weniger geschrieben, als
20 was eine Ihnen sehr wohl bekannte Tatsache ist!

SONNENSTICH: Dieser Schandbube!!

MELCHIOR: Ich ersuche Sie, mir einen Verstoß gegen die Sittlichkeit
in der Schrift zu zeigen!

SONNENSTICH: Bilden Sie sich ein, ich hätte Lust, zu Ihrem Hans-
25 wurst an Ihnen zu werden?! – Habebald...!

MELCHIOR: Ich habe...

SONNENSTICH: Sie haben so wenig Ehrerbietung vor der Würde Ihrer
versammelten Lehrerschaft, wie Sie Anstandsgefühl für das dem
Menschen eingewurzelte Empfinden für die Diskretion der Ver-
30 schämtheit einer sittlichen Weltordnung haben! – Habebald!!

HABEBALD: Befehlen, Herr Rektor!

SONNENSTICH: Es ist ja der »Langenscheidt« zur dreistündigen Er-
lernung des agglutierenden[79] Volapük[80]!

MELCHIOR: Ich habe...

35 SONNENSTICH: Ich ersuche unseren Schriftführer, Herrn Kollega Fliegentod, das Protokoll zu schließen!

---

79 bei der Beugung werden Nachsilben an das Wort angehängt
80 wie »Esperanto« eine künstliche Weltsprache

MELCHIOR: Ich habe…

SONNENSTICH: Sie haben sich ruhig zu verhalten!! – Habebald!

HABEBALD: Befehlen, Herr Rektor!

SONNENSTICH: Führen Sie ihn hinunter!

Zweite Szene

Friedhof in strömendem Regen.
Vor einem offenen Grabe steht Pastor KAHLBAUCH, *den aufgespannten*
Schirm in der Hand. Zu seiner Rechten Rentier STIEFEL, *dessen Freund*
ZIEGENMELKER *und Onkel* PROBST. *Zur Linken Rektor* SONNENSTICH *mit*
Professor KNOCHENBRUCH. *Gymnasiasten schließen den Kreis.*
In einiger Entfernung vor einem halb verfallenen Grabmonument
MARTHA *und* ILSE.

PASTOR KAHLBAUCH: … Denn wer die Gnade, mit der der ewige Vater
den in Sünden Geborenen gesegnet, von sich wies, er wird des
geistigen Todes sterben! – Wer aber in eigenwilliger fleischli-
cher Verleugnung der Gott gebührenden Ehre dem Bösen gelebt
und gedient, er wird des leiblichen Todes sterben! – Wer je-
doch das Kreuz, das der Allerbarmer ihm um der Sünde willen
auferlegt, freventlich von sich geworfen, wahrlich, wahrlich, ich
sage euch, der wird des ewigen Todes sterben! – (*Er wirft eine*
Schaufel voll Erde in die Gruft.) – Uns aber, die wir fort und fort
wallen den Dornenpfad, lasset den Herrn, den allgütigen, prei-
sen und ihm danken für seine unerforschliche Gnadenwahl.
Denn so wahr dieser eines dreifachen Todes starb, so wahr
wird Gott der Herr den Gerechten einführen zur Seligkeit und
zum ewigen Leben. – Amen.

RENTIER STIEFEL (*mit tränenerstickter Stimme, wirft eine Schaufel voll*
Erde in die Gruft): Der Junge war nicht von mir! – Der Junge war
nicht von mir! Der Junge hat mir von klein auf nicht gefallen!

REKTOR SONNENSTICH (*wirft eine Schaufel voll Erde in die Gruft*): Der
Selbstmord als der denkbar bedenklichste Verstoß gegen die sittliche Weltordnung ist der denkbar bedenklichste Beweis für die
sittliche Weltordnung, indem der Selbstmörder der sittlichen
Weltordnung den Urteilsspruch zu sprechen erspart und ihr Be-
stehen bestätigt.

PROFESSOR KNOCHENBRUCH (*wirft eine Schaufel voll Erde in die Gruft*): Verbummelt – versumpft – verhurt – verlumpt – und verludert!

ONKEL PROBST (*wirft eine Schaufel voll Erde in die Gruft*): Meiner eigenen Mutter hätte ich's nicht geglaubt, dass ein Kind so nieder-
5 trächtig an seinen Eltern zu handeln vermöchte!

FREUND ZIEGENMELKER (*wirft eine Schaufel voll Erde in die Gruft*): An einem Vater zu handeln vermöchte, der nun seit zwanzig Jahren von früh bis spät keinen Gedanken mehr hegt, als das Wohl seines Kindes!

10 PASTOR KAHLBAUCH (*Rentier Stiefel die Hand drückend*): Wir wissen, dass denen, die Gott lieben, alle Dinge zum Besten dienen. 1. Korinth. 12,15. – Denken Sie der trostlosen Mutter und suchen Sie ihr das Verlorene durch verdoppelte Liebe zu ersetzen!

REKTOR SONNENSTICH (*Rentier Stiefel die Hand drückend*): Wir hätten
15 ihn ja wahrscheinlich doch nicht promovieren können!

PROFESSOR KNOCHENBRUCH (*Rentier Stiefel die Hand drückend*): Und wenn wir ihn promoviert hätten, im nächsten Frühling wäre er des allerbestimmtesten sitzen geblieben!

ONKEL PROBST (*Rentier Stiefel die Hand drückend*): Jetzt hast du vor
20 allem die Pflicht, an dich zu denken. Du bist Familienvater...!

FREUND ZIEGENMELKER (*Rentier Stiefel die Hand drückend*): Vertraue dich meiner Führung! – Ein Hundewetter, dass einem die Därme schlottern! – Wer da nicht unverzüglich mit einem Grog eingreift, hat seine Herzklappenaffektion[81] weg!

25 RENTIER STIEFEL (*sich die Nase schnäuzend*): Der Junge war nicht von mir... der Junge war nicht von mir...

(*Rentier Stiefel, geleitet von Pastor Kahlbauch, Rektor Sonnenstich, Professor Knochenbruch, Onkel Probst und Freund Ziegenmelker ab. – Der Regen lässt nach.*)

30 HÄNSCHEN RILOW (*wirft eine Schaufel voll Erde in die Gruft*): Ruhe in Frieden du ehrliche Haut! – Grüße mir meine ewigen Bräute, hingeopferten Angedenkens, und empfiehl mich ganz ergebenst zu Gnaden dem lieben Gott – armer Tollpatsch du! – Sie werden dir um deiner Engelseinfalt willen noch eine Vogelscheuche aufs
35 Grab setzen...

GEORG: Hat sich die Pistole gefunden?

---

81 Herzklappenerkrankung

ROBERT: Man braucht keine Pistole zu suchen!

ERNST: Hast du ihn gesehen, Robert?

ROBERT: Verfluchter, verdammter Schwindel! – Wer hat ihn gesehen? – Wer denn?!

OTTO: Da steckt's nämlich! – Man hatte ihm ein Tuch übergeworfen. 5

GEORG: Hing die Zunge heraus?

ROBERT: Die Augen! – Deshalb hatte man das Tuch drübergeworfen.

OTTO: Grauenhaft!

HÄNSCHEN RILOW: Weißt du bestimmt, dass er sich erhängt hat? 10

ERNST: Man sagt, er habe gar keinen Kopf mehr.

OTTO: Unsinn! – Gewäsch!

ROBERT: Ich habe ja den Strick in Händen gehabt! – Ich habe noch keinen Erhängten gesehen, den man nicht zugedeckt hätte.

GEORG: Auf gemeinere Art hätte er sich nicht empfehlen können! 15

HÄNSCHEN RILOW: Was Teufel, das Erhängen soll ganz hübsch sein!

OTTO: Mir ist er nämlich noch fünf Mark schuldig. Wir hatten gewettet. Er schwor, er werde sich halten.

HÄNSCHEN RILOW: Du bist Schuld, dass er daliegt. Du hast ihn Prahl- 20
hans genannt.

OTTO: Paperlapap, ich muss auch büffeln die Nächte durch. Hätte er die griechische Literaturgeschichte gelernt, er hätte sich nicht zu erhängen brauchen!

ERNST: Hast du den Aufsatz, Otto? 25

OTTO: Erst die Einleitung.

ERNST: Ich weiß gar nicht, was schreiben.

GEORG: Warst du denn nicht da, als uns Affenschmalz die Disposition[82] gab?

HÄNSCHEN RILOW: Ich stopsle mir was aus dem Demokrit[83] zusam- 30
men.

ERNST: Ich will sehen, ob sich im »Kleinen Meyer« was finden lässt.

OTTO: Hast du den Vergil[84] schon auf morgen? – – – – –

(*Die Gymnasiasten ab. – Martha und Ilse kommen ans Grab.*)

---

82 Gliederung

83 griechischer Philosoph (um 470–380 v. Chr.)

84 Publius Vergilius Maro (70–19 v. Chr.), römischer Dichter, Verfasser der »Aeneis«

ILSE: Rasch, rasch! – Dort hinten kommen die Totengräber.

MARTHA: Wollen wir nicht lieber warten, Ilse?

ILSE: Wozu? – Wir bringen neue. Immer neue und neue! – Es wachsen genug.

5 MARTHA: Du hast Recht, Ilse! –

(*Sie wirft einen Efeukranz in die Gruft. Ilse öffnet ihre Schürze und lässt eine Fülle frischer Anemonen auf den Sarg regnen.*)

MARTHA: Ich grabe unsere Rosen aus. Schläge bekomme ich ja doch! – Hier werden sie gedeihen.

10 ILSE: Ich will sie begießen, so oft ich vorbeikomme. Ich hole Vergissmeinnicht vom Goldbach herüber und Schwertlilien bringe ich von Hause mit.

MARTHA: Es soll eine Pracht werden! Eine Pracht!

ILSE: Ich war schon über der Brücke drüben, da hört ich den Knall.

15 MARTHA: Armes Herz!

ILSE: Und ich weiß auch den Grund, Martha.

MARTHA: Hat er dir was gesagt?

ILSE: Parallelepipedon! Aber sag es niemandem.

MARTHA: Meine Hand darauf.

20 ILSE: – Hier ist die Pistole.

MARTHA: Deshalb hat man sie nicht gefunden!

ILSE: Ich nahm sie ihm gleich aus der Hand, als ich am Morgen vorbeikam.

MARTHA: Schenk sie mir, Ilse! – Bitte, schenk sie mir!

25 ILSE: Nein, die behalt ich zum Andenken.

MARTHA: Ist's wahr, Ilse, dass er ohne Kopf drinliegt?

ILSE: Er muss sie mit Wasser geladen haben! – Die Königskerzen waren über und über mit Blut besprengt. Sein Hirn hing in den Weiden umher.

30 ## Dritte Szene

HERR *und* FRAU GABOR.

FRAU GABOR: … Man hatte einen Sündenbock nötig. Man durfte die überall laut werdenden Anschuldigungen nicht auf sich beruhen lassen. Und nun mein Kind das Unglück gehabt, den

Zöpfen[85] im richtigen Moment in den Schuss zu laufen, nun soll ich, die eigene Mutter, das Werk seiner Henker vollenden helfen? – Bewahre mich Gott davor!

HERR GABOR: – Ich habe deine geistvolle Erziehungsmethode vierzehn Jahre schweigend mit angesehn. Sie widersprach meinen Begriffen. Ich hatte von jeher der Überzeugung gelebt, ein Kind sei kein Spielzeug; ein Kind habe Anspruch auf unsern heiligsten Ernst. Aber ich sagte mir, wenn der Geist und die Grazie des einen die ernsten Grundsätze eines andern zu ersetzen imstande sind, so mögen sie den ernsten Grundsätzen vorzuziehen sein. – – Ich mache dir keinen Vorwurf, Fanny. Aber vertritt mir den Weg nicht, wenn ich dein und mein Unrecht an dem Jungen gutzumachen suche!

FRAU GABOR: Ich vertrete dir den Weg, solange ein Tropfen warmen Blutes in mir wallt! In der Korrektionsanstalt ist mein Kind verloren. Eine Verbrechernatur mag sich in solchen Instituten bessern lassen. Ich weiß es nicht. Ein gutgearteter Mensch wird so gewiss zum Verbrecher darin, wie die Pflanze verkommt, der du Luft und Sonne entziehst. Ich bin mir keines Unrechtes bewusst. Ich danke heute wie immer dem Himmel, dass er mir den Weg gezeigt, in meinem Kinde einen rechtlichen Charakter und eine edle Denkungsweise zu wecken. Was hat er denn so Schreckliches getan? Es soll mir nicht einfallen, ihn entschuldigen zu wollen – daran, dass man ihn aus der Schule gejagt, trägt er keine Schuld. Und wär es sein Verschulden, so hat er es ja gebüßt. Du magst das alles besser wissen. Du magst theoretisch vollkommen im Rechte sein. Aber ich kann mir mein einziges Kind nicht gewaltsam in den Tod jagen lassen!

HERR GABOR: Das hängt nicht von uns ab, Fanny. – Das ist ein Risiko, das wir mit unserem Glück auf uns genommen. Wer zu schwach für den Marsch ist, bleibt am Wege. Und es ist schließlich das Schlimmste nicht, wenn das Unausbleibliche zeitig kommt. Möge uns der Himmel davor behüten! Unsere Pflicht ist es, den Wankenden zu festigen, solange die Vernunft Mittel weiß. – Dass man ihn aus der Schule gejagt, ist nicht seine Schuld. Wenn man ihn nicht aus der Schule gejagt hätte, es wäre auch seine Schuld nicht! – Du bist zu leichtherzig. Du er-

---

85 überholte, rückständige Ansichten

blickst vorwitzige Tändelei, wo es sich um Grundschäden des Charakters handelt. Ihr Frauen seid nicht berufen, über solche Dinge zu urteilen. Wer das schreiben kann, was Melchior schreibt, der muss im innersten Kern seines Wesens angefault sein. Das Mark ist ergriffen. Eine halbwegs gesunde Natur lässt sich zu so etwas nicht herbei. Wir sind alle keine Heiligen; jeder von uns irrt vom schnurgeraden Pfad ab. Seine Schrift hingegen vertritt das Prinzip. Seine Schrift entspricht keinem zufälligen gelegentlichen Fehltritt; sie dokumentiert mit Schauder erregender Deutlichkeit den aufrichtig gehegten Vorsatz, jene natürliche Veranlagung, jenen Hang zum Unmoralischen, weil es das Unmoralische ist. Seine Schrift manifestiert jene exzeptionelle[86] geistige Korruption, die wir Juristen mit dem Ausdruck »moralischer Irrsinn« bezeichnen. – Ob sich gegen seinen Zustand etwas ausrichten lässt, vermag ich nicht zu sagen. Wenn wir uns einen Hoffnungsschimmer bewahren wollen, und in erster Linie unser fleckenloses Gewissen als die Eltern des Betreffenden, so ist es Zeit für uns, mit Entschiedenheit und mit allem Ernste ans Werk zu gehen. – Lass uns nicht länger streiten, Fanny! Ich fühle, wie schwer es dir wird. Ich weiß, dass du ihn vergötterst, weil er so ganz deinem genialischen Naturell entspricht. Sei stärker als du! Zeig dich deinem Sohn gegenüber endlich einmal selbstlos!

FRAU GABOR: Hilf mir Gott, wie lässt sich dagegen aufkommen! – Man muss ein Mann sein, um so sprechen zu können! Man muss ein Mann sein, um sich so vom toten Buchstaben verblenden lassen zu können! Man muss ein Mann sein, um so blind das in die Augen Springende nicht zu sehn! – Ich habe gewissenhaft und besonnen an Melchior gehandelt vom ersten Tag an, da ich ihn für die Eindrücke seiner Umgebung empfänglich fand. Sind wir denn für den Zufall verantwortlich?! Dir kann morgen ein Dachziegel auf den Kopf fallen, und dann kommt dein Freund – dein Vater, und statt deine Wunde zu pflegen, setzt er den Fuß auf dich! – Ich lasse mein Kind nicht vor meinen Augen hinmorden. Dafür bin ich seine Mutter. – Es ist unfassbar! Es ist gar nicht zu glauben! Was schreibt er denn in aller Welt! Ist's denn nicht der eklatanteste Beweis für seine Harm-

---

86 außergewöhnliche

losigkeit, für seine Dummheit, für seine kindliche Unberührt-
heit, dass er so etwas schreiben kann! – Man muss keine Ahnung
von Menschenkenntnis besitzen – man muss ein vollständig
entseelter Bürokrat oder ganz nur Beschränktheit sein, um hier
moralische Korruption zu wittern! – – Sag was du willst. Wenn 5
du Melchior in die Korrektionsanstalt bringst, dann sind wir ge-
schieden! Und dann lass mich sehen, ob ich nicht irgendwo in
der Welt Hilfe und Mittel finde, mein Kind seinem Untergange
zu entreißen.

HERR GABOR: Du wirst dich drein schicken müssen – wenn nicht 10
heute, dann morgen. Leicht wird es keinem, mit dem Unglück
zu diskontieren[87]. Ich werde dir zur Seite stehen, und wenn
dein Mut zu erliegen droht, keine Mühe und kein Opfer scheu-
en, dir das Herz zu entlasten. Ich sehe die Zukunft so grau, so
wolkig – es fehlte nur noch, dass auch du mir noch verloren 15
gingst.

FRAU GABOR: Ich sehe ihn nicht wieder; ich sehe ihn nicht wieder.
Er erträgt das Gemeine nicht. Er findet sich nicht ab mit dem
Schmutz. Er zerbricht den Zwang; das entsetzlichste Beispiel
schwebt ihm vor Augen! – Und sehe ich ihn wieder – Gott, Gott, 20
dieses frühlingsfrohe Herz – sein helles Lachen – alles, alles –
seine kindliche Entschlossenheit, mutig zu kämpfen für Gut und
Recht – o dieser Morgenhimmel, wie ich ihn licht und rein in
seiner Seele gehegt als mein höchstes Gut. ... Halte dich an
mich, wenn das Unrecht um Sühne schreit! Halte dich an mich! 25
Verfahre mit mir wie du willst! Ich trage die Schuld. – Aber lass
deine fürchterliche Hand von dem Kind weg.

HERR GABOR: Er hat sich vergangen!

FRAU GABOR: Er hat sich nicht vergangen!

HERR GABOR: Er hat sich vergangen! – – – Ich hätte alles darum ge- 30
geben, es deiner grenzenlosen Liebe ersparen zu dürfen. – –
Heute Morgen kommt eine Frau zu mir, vergeistert, kaum ihrer
Sprache mächtig, mit diesem Brief in der Hand – einem Brief
an ihre fünfzehnjährige Tochter. Aus dummer Neugierde habe
sie ihn erbrochen; das Mädchen war nicht zu Haus. – In 35
dem Briefe erklärte Melchior dem fünfzehnjährigen Kind, dass
ihm seine Handlungsweise keine Ruhe lasse, er habe sich an

---

87 abrechnen

ihr versündigt usw. usw., werde indessen natürlich für alles ein-
stehen. Sie möge sich nicht grämen, auch wenn sie Folgen spüre.
Er sei bereits auf dem Wege, Hilfe zu schaffen; seine Relegation
erleichtere ihm das. Der ehemalige Fehltritt könne noch zu
5 ihrem Glücke führen – und was des unsinnigen Gewäsches mehr
ist.

FRAU GABOR: Unmöglich!!

HERR GABOR: Der Brief ist gefälscht. Es liegt Betrug vor. Man sucht
sich seine stadtbekannte Relegation nutzbar zu machen. Ich
10 habe mit dem Jungen noch nicht gesprochen – aber sieh bitte
die Hand! Sieh die Schreibweise!

FRAU GABOR: Ein unerhörtes, schamloses Bubenstück[88]!

HERR GABOR: Das fürchte ich!

FRAU GABOR: Nein, nein – nie und nimmer!

15 HERR GABOR: Umso besser wird es für uns sein. – Die Frau fragt mich
händeringend, was sie tun solle. Ich sagte ihr, sie solle ihre fünfzehnjährige Tochter nicht auf Heuböden herumklettern lassen.
Den Brief hat sie mir glücklicherweise dagelassen. – Schicken wir
Melchior nun auf ein anderes Gymnasium, wo er nicht einmal
20 unter elterlicher Aufsicht steht, so haben wir in drei Wochen den
nämlichen Fall – neue Relegation – sein frühlingsfreudiges Herz
gewöhnt sich nachgerade daran. – Sag mir, Fanny, wo soll ich
hin mit dem Jungen?!

FRAU GABOR: – In die Korrektionsanstalt –

25 HERR GABOR: In die …?

FRAU GABOR: … Korrektionsanstalt!

HERR GABOR: Er findet dort in erster Linie, was ihm zu Hause un-
gerechterweise vorenthalten wurde: eherne[89] Disziplin, Grundsätze, und einen moralischen Zwang, dem er sich unter allen
30 Umständen zu fügen hat. – Im Übrigen ist die Korrektionsanstalt
nicht der Ort des Schreckens, den du dir darunter denkst. Das
Hauptgewicht legt man in der Anstalt auf Entwicklung einer
christlichen Denk- und Empfindungsweise. Der Junge lernt dort
endlich, das G u t e wollen statt des I n t e r e s s a n t e n, und bei sei-
35 nen Handlungen nicht sein Naturell, sondern das G e s e t z in
Frage ziehen. – – Vor einer halben Stunde erhalte ich ein Tele-

---

88 Übeltat
89 eiserne

gramm von meinem Bruder, das mir die Aussagen der Frau bestätigt. Melchior hat sich ihm anvertraut und ihn um 200 Mark zur Flucht nach England gebeten ...

FRAU GABOR (*bedeckt ihr Gesicht*): Barmherziger Himmel!

Vierte Szene

5

Korrektionsanstalt. – Ein Korridor.

DIETHELM, REINHOLD, RUPRECHT, HELMUTH, GASTON *und* MELCHIOR.

DIETHELM: Hier ist ein Zwanzigpfennigstück!

REINHOLD: Was soll's damit?

DIETHELM: Ich leg es auf den Boden. Ihr stellt euch drum herum. 10
Wer es trifft, der hat's.

RUPRECHT: Machst du nicht mit, Melchior?

MELCHIOR: Nein, ich danke.

HELMUTH: Der Joseph[90]!

GASTON: Er kann nicht mehr. Er ist zu Rekreation[91] hier. 15

MELCHIOR (*für sich*): Es ist nicht klug, dass ich mich separiere. Alles hält mich im Auge. Ich muss mitmachen – oder die Kreatur geht zum Teufel. – – Die Gefangenschaft macht sie zu Selbstmördern. – – Brech ich den Hals, ist es gut! Komme ich davon, ist es auch gut! Ich kann nur gewinnen. – Ruprecht wird mein Freund, er 20 besitzt hier Kenntnisse. – Ich werde ihm die Kapitel von Judas Schnur Thamar[92], von Moab[93], von Loth[94] und seine Sippe, von der Königin Basti[95] und der Abisag von Sunem[96] zum Besten

---

90 im Alten Testament: Sohn Jakobs, Symbol für Keuschheit

91 Erholung

92 im Alten Testament: Schwiegertochter des Juda, wurde nach dem Tod ihres Mannes mit dem Onan verheiratet. Als dieser sich weigerte mit ihr ein Kind zu zeugen und statt dessen onanierte, verkleidete sie sich als Dirne und verführte ihren Schwiegervater.

93 Ahnherr der biblischen Moabiter

94 im Alten Testament: Wurde als Einziger mit seiner Familie aus dem verdorbenen Sodom gerettet.

95 Wedekind meint die schöne persische Königin Vasthi; sie weigerte sich, den Befehl ihres Mannes Xerxes auszuführen, ihre Schönheit öffentlich zur Schau zu stellen. Daraufhin wurde sie von ihm verstoßen.

96 im Alten Testament: schöne Dirne, die König David pflegte

geben. – Er hat die verunglückteste Physiognomie[97] auf der Abteilung.

RUPRECHT: Ich hab's!

HELMUTH: Ich komme noch!

5 GASTON: Übermorgen vielleicht!

HELMUTH: Gleich! – Jetzt! – O Gott, o Gott...

ALLE: Summa – summa cum laude!![98]

RUPRECHT (*das Stück nehmend*): Danke schön!

HELMUTH: Her, du Hund!

10 RUPRECHT: Du Schweinetier?

HELMUTH: Galgenvogel!!

RUPRECHT (*schlägt ihn ins Gesicht*): Da! (*Rennt davon.*)

HELMUTH (*ihm nachrennend*): Den schlag ich tot!

DIE ÜBRIGEN (*rennen hinterdrein*): Hetz, Packan! Hetz! Hetz! Hetz!

15 MELCHIOR (*allein, gegen das Fenster gewandt*): – Da geht der Blitzableiter hinunter. – Man muss ein Taschentuch drumwickeln. – Wenn ich an sie denke, schießt mir immer das Blut in den Kopf. Und Moritz liegt mir wie Blei in den Füßen. – – – Ich gehe zur Redaktion. Bezahlen Sie mich per Hundert; ich kol-

20 portiere[99]! – sammle Tagesneuigkeiten – schreibe – lokal – – ethisch – – psychophysisch... man verhungert nicht mehr so leicht. Volksküche, Café Temperence[100]. – Das Haus ist sechzig Fuß hoch und der Verputz bröckelt ab... Sie hasst mich – sie hasst mich, weil ich sie der Freiheit beraubt. Handle ich,

25 wie ich will, es bleibt Vergewaltigung. – Ich darf einzig hoffen, im Laufe der Jahre allmählich... Über acht Tage ist Neumond. Morgen schmiere ich die Angeln[101]. Bis Sonnabend muss ich unter allen Umständen wissen, wer den Schlüssel hat. – Sonntagabend in der Andacht kataleptischer Anfall[102] – will's Gott,

30 wird sonst niemand krank! – Alles liegt so klar, als wär es geschehen, vor mir. Über das Fenstergesims gelang ich mit Leichtigkeit – ein Schwung – ein Griff – aber man muss ein Taschen-

---

97 Gesichtsausdruck
98 mit höchstem Lob, ausgezeichnet; höchstes Prädikat bei Doktorprüfungen
99 ich verbreite
100 ein billiges, zumeist alkoholfreies Kaffeehaus
101 Zapfen, an denen Türen und Fenster drehbar befestigt werden
102 muskulärer Spannungszustand

tuch drumwickeln. – – Da kommt der Großinquisitor[103]. (*Ab nach links.*)

(DR. PROKRUSTES *mit einem* SCHLOSSERMEISTER *von rechts.*)

DR. PROKRUSTES: … Die Fenster liegen zwar im dritten Stock und unten sind Brennnesseln gepflanzt. Aber was kümmert sich die 5 Entartung um Brennnesseln. – Vergangenen Winter stieg uns einer zur Dachluke hinaus und wir hatten die ganze Schererei mit dem Abholen, Hinbringen und Beisetzen …

DER SCHLOSSERMEISTER: Wünschen Sie die Gitter aus Schmiedeeisen.

DR. PROKRUSTES: Aus Schmiedeeisen – und da man sie nicht einlas- 10 sen kann, vernietet.

Fünfte Szene

Ein Schlafgemach.
FRAU BERGMANN, INA MÜLLER *und Medizinalrat*
DR. V. BRAUSEPULVER. – WENDLA *im Bett.* 15

DR. VON BRAUSEPULVER: Wie alt sind Sie denn eigentlich?

WENDLA: Vierzehneinhalb.

DR. VON BRAUSEPULVER: Ich verordne die Blaudschen Pillen[104] seit fünfzehn Jahren und habe in einer großen Anzahl von Fällen die eklatantesten Erfolge beobachtet. Ich ziehe sie dem Lebertran 20 und den Stahlweinen[105] vor. Beginnen Sie mit drei bis vier Pillen pro Tag und steigern Sie so rasch Sie es eben vertragen. Dem Fräulein Elfriede Baronesse von Witzleben hatte ich verordnet, jeden dritten Tag um eine Pille zu steigern. Die Baronesse hatte mich missverstanden und steigerte jeden Tag um drei Pillen. 25 Nach kaum drei Wochen schon konnte sich die Baronesse mit ihrer Frau Mama zur Nachkur nach Pyrmont begeben. – Von ermüdenden Spaziergängen und Extramahlzeiten dispensiere[106]

---

103 zu Beginn der Neuzeit Leiter einer kirchlichen Behörde, die Ketzer verurteilte
104 Pillen gegen Blutarmut, entwickelt von dem französischen Arzt Paul Blaud (1774–1858)
105 Eisenpräparate gegen Blutarmut
106 beurlauben

ich Sie. Dafür versprechen Sie mir, liebes Kind, sich um so fleißiger Bewegung machen zu wollen und ungeniert Nahrung zu fordern, sobald sich die Lust dazu wieder einstellt. Dann werden diese Herzbeklemmungen bald nachlassen – und der Kopf-
5 schmerz, das Frösteln, der Schwindel – und unsere schrecklichen Verdauungsstörungen. Fräulein Elfriede Baronesse von Witzleben genoss schon acht Tage nach begonnener Kur ein ganzes Brathühnchen mit jungen Pellkartoffeln zum Frühstück.

FRAU BERGMANN: Darf ich Ihnen ein Glas Wein anbieten, Herr Medi-
10 zinalrat?

DR. VON BRAUSEPULVER: Ich danke Ihnen, liebe Frau Bergmann. Mein Wagen wartet. Lassen Sie sich's nicht so zu Herzen gehen. In wenigen Wochen ist unsere liebe kleine Patientin wieder frisch und munter wie eine Gazelle. Seien Sie getrost. – Guten Tag, Frau
15 Bergmann. Guten Tag, liebes Kind. Guten Tag, meine Damen. Guten Tag. (*Frau Bergmann geleitet ihn vor die Tür.*)

INA (*am Fenster*): – Nun färbt sich eure Platane schon wieder bunt. – Siehst du's vom Bett aus? – Eine kurze Pracht, kaum recht der Freude wert, wie man sie so kommen und gehen sieht. – Ich
20 muss nun auch bald gehen. Müller erwartet mich vor der Post und ich muss zuvor noch zur Schneiderin. Mucki bekommt seine ersten Höschen und Karl soll einen neuen Trikotanzug auf den Winter haben.

WENDLA: Manchmal wird mir so selig – alles Freude und Son-
25 nenglanz. Hätt ich geahnt, dass es einem so wohl ums Herz werden kann! Ich möchte hinaus, im Abendschein über die Wiesen gehn, Himmelsschlüssel suchen den Fluss entlang und mich ans Ufer setzen und träumen… Und dann kommt das Zahnweh, und ich meine, dass ich morgen am Tag sterben muss; mir wird
30 heiß und kalt, vor den Augen verdunkelt sich's, und dann flattert das Untier herein – – – So oft ich aufwache, seh ich Mutter weinen. O, das tut mir so weh – ich kann's dir nicht sagen, Ina!

INA: – Soll ich dir nicht das Kopfkissen höher legen?

FRAU BERGMANN (*kommt zurück*): Er meint, das Erbrechen werde
35 sich auch geben; und du sollst dann nur ruhig wieder aufstehn… Ich glaube auch, es ist besser, wenn du bald wieder aufstehst, Wendla.

INA: Bis ich das nächste Mal vorspreche, springst du vielleicht schon wieder im Haus herum. – Leb wohl, Mutter. Ich muss durchaus noch zur Schneiderin. Behüt dich Gott, liebe Wendla. (*Küsst sie.*) Recht, recht baldige Besserung!

WENDLA: Leb wohl, Ina. – Bring mir Himmelsschlüssel mit, wenn du wiederkommst. Adieu. Grüße deine Jungens von mir.

(Ina ab) 5

WENDLA: Was hat er noch gesagt, Mutter, als er draußen war?

FRAU BERGMANN: Er hat nichts gesagt. – Er sagte, Fräulein von Witzleben habe auch zu Ohnmachten geneigt. Es sei das fast immer so bei der Bleichsucht.

WENDLA: Hat er gesagt, Mutter, dass ich die Bleichsucht habe? 10

FRAU BERGMANN: Du solltest Milch trinken und Fleisch und Gemüse essen, wenn der Appetit zurückgekehrt sei.

WENDLA: O Mutter, Mutter, ich glaube, ich habe nicht die Bleichsucht…

FRAU BERGMANN: Du hast die Bleichsucht, Kind. Sei ruhig, Wendla, 15 sei ruhig; du hast die Bleichsucht.

WENDLA: Nein, Mutter, nein! Ich weiß es. Ich fühl es. Ich habe nicht die Bleichsucht. Ich habe die Wassersucht…

FRAU BERGMANN: Du hast die Bleichsucht. Er hat es ja gesagt, dass du die Bleichsucht hast. Beruhige dich, Mädchen. Es wird besser 20 werden.

WENDLA: Es wird nicht besser werden. Ich habe die Wassersucht. Ich muss sterben, Mutter. – O Mutter, ich muss sterben!

FRAU BERGMANN: Du musst nicht sterben, Kind! Du musst nicht sterben… Barmherziger Himmel, du musst nicht sterben! 25

WENDLA: Aber warum weinst du dann so jammervoll?

FRAU BERGMANN: Du musst nicht sterben – Kind! Du hast nicht die Wassersucht. Du hast ein Kind, Mädchen! Du hast ein Kind! – Oh, warum hast du mir das getan!

WENDLA: – Ich habe dir nichts getan – 30

FRAU BERGMANN: O leugne nicht noch, Wendla! – Ich weiß alles. Sieh, ich hätt es nicht vermocht, dir ein Wort zu sagen. – Wendla, meine Wendla…!

WENDLA: Aber das ist ja nicht möglich, Mutter. Ich bin ja doch nicht verheiratet…! 35

FRAU BERGMANN: Großer, gewaltiger Gott –, das's ja, dass du nicht verheiratet bist! Das ist ja das Fürchterliche! – Wendla, Wendla, Wendla, was hast du getan!!

WENDLA: Ich weiß es, weiß Gott, nicht mehr! Wir lagen im Heu…
Ich habe keinen Menschen auf dieser Welt geliebt als nur dich,
Mutter.

FRAU BERGMANN: Mein Herzblatt –

5 WENDLA: O Mutter, warum hast du mir nicht alles gesagt!

FRAU BERGMANN: Kind, Kind, lass uns einander das Herz nicht noch
schwerer machen! Fasse dich! Verzweifle mir nicht, mein Kind!
Einem vierzehnjährigen Mädchen das sagen! Sieh, ich wäre eher
darauf gefasst gewesen, dass die Sonne erlischt. Ich habe an dir

10 nicht anders getan, als meine liebe gute Mutter an mir getan hat.
– O lass uns auf den lieben Gott vertrauen, Wendla; lass uns auf
Barmherzigkeit hoffen und das Unsrige tun! Sieh, noch ist ja
nichts geschehen, Kind. Und wenn nur wir jetzt nicht kleinmütig werden, dann wird uns auch der liebe Gott nicht verlas-

20 sen. – Sei mutig, Wendla, sei mutig! – – So sitzt man einmal
am Fenster und legt die Hände in den Schoß, weil sich doch
noch alles zum Guten gewandt, und da bricht's dann herein,
dass einem gleich das Herz bersten möchte… Wa– was zitterst
du?

25 WENDLA: Es hat jemand geklopft.

FRAU BERGMANN: Ich habe nichts gehört, liebes Herz. –

(Geht an die Tür und öffnet.)

WENDLA: Ach, ich hörte es ganz deutlich. – – Wer ist draußen?

FRAU BERGMANN: – Niemand – – Schmidts Mutter aus der Garten-
30 straße. – – – Sie kommen eben recht, Mutter Schmidtin.

Sechste Szene

*Winzer und Winzerinnen im Weinberg. – Im Westen sinkt die Sonne
hinter die Berggipfel. Helles Glockengeläute vom Tal herauf. –*
HÄNSCHEN RILOW *und* ERNST RÖBEL *im höchstgelegenen Rebstück sich
35 unter den überhängenden Felsen im welkenden Grase wälzend.*

ERNST: – Ich habe mich überarbeitet.

HÄNSCHEN: Lass uns nicht traurig sein! – Schade um die Minuten.

ERNST: Man sieht sie hängen und kann nicht mehr – und morgen
sind sie gekeltert.

HÄNSCHEN: Ermüdung ist mir so unerträglich, wie mir's der Hunger
ist.

ERNST: Ach, ich kann nicht mehr.

HÄNSCHEN: Diese leuchtende Muskateller[107] noch!

ERNST: Ich bringe die Elastizität nicht mehr auf.

HÄNSCHEN: Wenn ich die Ranke beuge, baumelt sie uns von Mund
zu Mund. Keiner braucht sich zu rühren. Wir beißen die Beeren
ab und lassen den Kamm zum Stock zurückschnellen.

ERNST: Kaum entschließt man sich, und siehe, so dämmert auch
schon die dahingeschwundene Kraft wieder auf.

HÄNSCHEN: Dazu das flammende Firmament – und die Abend-
glocken – Ich verspreche mir wenig mehr von der Zukunft.

ERNST: – Ich sehe mich manchmal schon als hochwürdigen Pfarrer
– ein gemütvolles Hausmütterchen, eine reichhaltige Bibliothek
und Ämter und Würden in allen Kreisen. Sechs Tage hat man,
um nachzudenken, und am siebenten tut man den Mund auf.
Beim Spazierengehen reichen einem Schüler und Schülerinnen
die Hand, und wenn man nach Hause kommt, dampft der Kaf-
fee, der Topfkuchen wird aufgetragen, und durch die Gartentür
bringen die Mädchen Äpfel herein. – Kannst du dir etwas Schöneres denken?

HÄNSCHEN: Ich denke mir halb geschlossene Wimpern, halb geöff-
nete Lippen und türkische Draperien[108]. – Ich glaube nicht an
das Pathos. Sieh, unsere Alten zeigen uns lange Gesichter, um
ihre Dummheiten zu bemänteln. Untereinander nennen sie sich
Schafsköpfe wie wir. Ich kenne das. – Wenn ich Millionär bin,
werde ich dem lieben Gott ein Denkmal setzen. – Denke dir die
Zukunft als Milchsette[109] mit Zucker und Zimt. Der eine wirft sie
um und heult, der andere rührt alles durcheinander und
schwitzt. Warum nicht abschöpfen? – Oder glaubst du nicht,
dass es sich lernen ließe.

ERNST: – Schöpfen wir ab!

HÄNSCHEN: Was bleibt, fressen die Hühner. – Ich habe meinen Kopf
nun schon aus so mancher Schlinge gezogen...

ERNST: Schöpfen wir ab, Hänschen! – Warum lachst du?

---

107 Rebsorte mit Muskatgeschmack
108 faltenreiche Vorhänge, Dekors im Bordell
109 Milchnapf

HÄNSCHEN: Fängst du schon wieder an?

ERNST: Einer muss ja doch anfangen.

HÄNSCHEN: Wenn wir in dreißig Jahren an einen Abend wie heute zurückdenken, erscheint er uns vielleicht unsagbar schön!

5 ERNST: Und wie macht sich jetzt alles so ganz von selbst!

HÄNSCHEN: Warum also nicht!

ERNST: Ist man zufällig allein – dann weint man vielleicht gar.

HÄNSCHEN: Lass uns nicht traurig sein! – (*Er küsst ihn auf den Mund.*)

ERNST (*küsst ihn*): Ich ging von Hause fort mit dem Gedanken, dich 10 nur eben zu sprechen und wieder umzukehren.

HÄNSCHEN: Ich erwartete dich. – Die Tugend kleidet nicht schlecht, aber es gehören imposante Figuren hinein.

ERNST: Uns schlottert sie noch um die Glieder. – Ich wäre nicht ruhig geworden, wenn ich dich nicht getroffen hätte. – Ich liebe 15 dich, Hänschen, wie ich nie eine Seele geliebt habe…

HÄNSCHEN: Lass uns nicht traurig sein! – Wenn wir in dreißig Jahren zurückdenken, spotten wir ja vielleicht! – Und jetzt ist alles so schön! Die Berge glühen; die Trauben hängen uns in den Mund und der Abendwind streicht an den Felsen hin wie ein spielen- 20 des Schmeichelkätzchen…

Siebente Szene

Helle Novembernacht. An Busch und Bäumen raschelt das dürre Laub.
Zerrissene Wolken jagen unter dem Mond hin.
MELCHIOR *klettert über die Kirchhofmauer.*

25 MELCHIOR (*auf der Innenseite herabspringend*): Hierher folgt mir die Meute nicht. – Derweil sie Bordelle absuchen, kann ich aufat- men und mir sagen, wie weit ich bin…

Der Rock in Fetzen, die Taschen leer – vor dem Harmlosesten bin ich nicht sicher. – Tagsüber muss ich im Walde weiter zu kom- 30 men suchen…

Ein Kreuz habe ich niedergestampft. – Die Blümchen wären heut noch erfroren! – Ringsum ist die Erde kahl…

Im Totenreich! – –

Aus der Dachluke zu klettern war so schwer nicht wie dieser 35 Weg! – Darauf nur war ich nicht gefasst gewesen…

Ich hänge über dem Abgrund – alles versunken, verschwunden – O wär ich dort geblieben!

Warum sie um meinetwillen! – Warum nicht der Verschuldete! Unfassbare Vorsicht! – Ich hätte Steine geklopft und gehungert…!

Was hält mich noch aufrecht? – Verbrechen folgt auf Verbrechen. Ich bin dem Morast überantwortet. Nicht so viel Kraft mehr, um abzuschließen…

Ich war nicht schlecht! – Ich war nicht schlecht! – Ich war nicht schlecht…

– So neiderfüllt ist noch kein Sterblicher über Gräber gewandelt. – Pah – ich brächte ja den Mut nicht auf! – O, wenn mich Wahnsinn umfinge – in dieser Nacht noch!

Ich muss drüben unter den letzten suchen! – Der Wind pfeift auf jedem Stein aus einer anderen Tonart – eine beklemmende Symphonie! – Die morschen Kränze reißen entzwei und baumeln an ihren langen Fäden stückweise um die Marmorkreuze – ein Wald von Vogelscheuchen! – Vogelscheuchen auf allen Gräbern, eine gräulicher als die andere – haushohe, vor denen die Teufel Reißaus nehmen. – Die goldenen Lettern blinken so kalt… Die Trauerweide ächzt auf und fährt mit Riesenfingern über die Inschrift…

Ein betendes Engelskind – Eine Tafel –

Eine Wolke wirft ihren Schatten herab. – Wie das hastet und heult! – Wie ein Heereszug jagt es im Osten empor. – Kein Stern am Himmel –

Immergrün um das Gärtlein? – Immergrün? – – Mädchen…

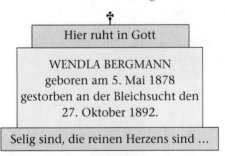

Und ich bin ihr Mörder. – Ich bin ihr Mörder! – Mir bleibt die Verzweiflung. – Ich darf hier nicht weinen. – Fort von hier! – Fort –

MORITZ STIEFEL (*seinen Kopf unter dem Arm, stapft über die Gräber her*):
Einen Augenblick, Melchior! Die Gelegenheit wiederholt sich so
bald nicht. Du ahnst nicht, was mit Ort und Stunde zusammen-
hängt …

5 MELCHIOR: Wo kommst du her?!

MORITZ: Von drüben – von der Mauer her. Du hast mein Kreuz um-
geworfen. Ich liege an der Mauer. – Gib mir die Hand, Melchior …

MELCHIOR: Du bist n i c h t Moritz Stiefel!

10 MORITZ: Gib mir die Hand. Ich bin überzeugt, du wirst mir Dank
wissen. So leicht wird's dir nicht mehr! Es ist ein seltsam glück-
liches Zusammentreffen. – Ich bin extra heraufgekommen …

MELCHIOR: Schläfst du denn nicht?

MORITZ: Nicht was ihr Schlafen nennt. – Wir sitzen auf Kirchtür-
15 men, auf hohen Dachgiebeln – wo immer wir wollen …

MELCHIOR: Ruhelos?

MORITZ: Vergnügungshalber. – Wir streifen um Maibäume, um ein-
same Waldkapellen. Über Volksversammlungen schweben wir
hin, über Unglücksstätten, Gärten, Festplätze. – In den Wohn-
20 häusern kauern wir im Kamin und hinter den Bettvorhängen. –
Gib mir die Hand. – Wir verkehren nicht untereinander, aber wir
sehen und hören alles, was in der Welt vor sich geht. Wir wissen,
dass alles Dummheit ist, was die Menschen tun und erstreben,
und lachen darüber.

25 MELCHIOR: Was hilft das?

MORITZ: Was braucht es zu helfen? – Wir sind für nichts mehr er-
reichbar, nicht für Gutes noch Schlechtes. Wir stehen hoch,
hoch über dem Irdischen – jeder für sich allein. Wir verkehren
nicht miteinander, weil uns das zu langweilig ist. Keiner von uns
30 hegt noch etwas, das ihm abhanden kommen könnte. Über
Jammer oder Jubel sind wir gleich unermesslich erhaben. Wir
sind mit uns zufrieden und das ist alles! – Die Lebenden verach-
ten wir unsagbar, kaum dass wir sie bemitleiden. Sie erheitern
uns mit ihrem Getue, weil sie als Lebende tatsächlich nicht zu
35 bemitleiden sind. Wir lächeln bei ihren Tragödien – jeder für
sich – und stellen unsere Betrachtungen an. – Gib mir die Hand!
Wenn du mir die Hand gibst, fällst du um vor Lachen über dem
Empfinden, mit dem du mir die Hand gibst …

MELCHIOR: Ekelt dich das nicht an?

MORITZ: Dazu stehen wir zu hoch. Wir lächeln! – An meinem Begräbnis war ich unter den Leidtragenden. Ich habe mich recht gut unterhalten. Das ist Erhabenheit, Melchior! Ich habe geheult wie keiner, und schlich zur Mauer, um mir vor Lachen den Bauch zu halten. Unsere unnahbare Erhabenheit ist tatsächlich 5 der einzige Gesichtspunkt, unter dem der Quark sich verdauen lässt … Auch über mich will man gelacht haben, eh ich mich aufschwang!

MELCHIOR: – Mich lüstet's nicht, über mich zu lachen.

MORITZ: … Die Lebenden sind als solche wahrhaftig nicht zu be- 10 mitleiden! – Ich gestehe, ich hätte es auch nie gedacht. Und jetzt ist es mir unfassbar, wie man so naiv sein kann. Jetzt durchschaue ich den Trug so klar, dass auch nicht ein Wölkchen bleibt. – Wie magst du nur zaudern, Melchior! Gib mir die Hand! Im Halsumdrehen stehst du himmelhoch über dir. – Dein Leben 15 ist Unterlassungssünde …

MELCHIOR: – Könnt ihr vergessen?

MORITZ: Wir können alles. Gib mir die Hand! Wir können die Jugend bedauern, wie sie ihre Bangigkeit für Idealismus hält, und das Alter, wie ihm vor stoischer[110] Überlegenheit das Herz bre- 20 chen will. Wir sehen den Kaiser vor Gassenhauern und den Lazzaroni[111] vor der jüngsten Posaune[112] beben. Wir ignorieren die Maske des Komödianten und sehen den Dichter im Dunkeln die Maske vornehmen. Wir erblicken den Zufriedenen in seiner Bettelhaftigkeit, im Mühseligen und Beladenen den Kapitalis- 25 ten. Wir beobachten Verliebte und sehen sie voreinander erröten, ahnend, dass sie betrogene Betrüger sind. Eltern sehen wir Kinder in die Welt setzen, um ihnen zurufen zu können: Wie glücklich ihr seid, solche Eltern zu haben! und sehen die Kinder hingehn und desgleichen tun. Wir können die Unschuld in 30 ihren einsamen Liebesnöten, die Fünfgroschendirne über der Lektüre Schillers belauschen … Gott und den Teufel sehen wir sich voreinander blamieren und hegen in uns das durch nichts zu erschütternde Bewusstsein, dass beide betrunken sind … Eine

---

110 gleichmütig; Charakterisierung eines Menschen nach der griechischen Philosophenschule Stoa
111 neapolitanischer Gelegenheitsarbeiter
112 Das Endgericht beginnt damit, dass sieben Engel je eine Posaune blasen.

Ruhe, eine Zufriedenheit, Melchior –! Du brauchst mir nur den kleinen Finger zu reichen. – Schneeweiß kannst du werden, eh sich dir der Augenblick wieder so günstig zeigt!

MELCHIOR: – Wenn ich einschlage, Moritz, so geschieht es aus
5 Selbstverachtung. – Ich sehe mich geächtet. Was mir Mut verlieh, liegt im Grabe. Edler Regungen vermag ich mich nicht mehr für würdig zu halten – und erblicke nichts, nichts, das sich mir auf meinem Niedergang noch entgegenstellen sollte. – Ich bin mir die verabscheuungswürdigste Kreatur des Weltalls…

10 MORITZ: Was zauderst du…?

(Ein vermummter Herr tritt auf.)

DER VERMUMMTE HERR (*zu Melchior*): Du bebst ja vor Hunger. Du bist gar nicht befähigt, zu urteilen. – (*zu Moritz*) Gehen Sie.

MELCHIOR: Wer sind Sie?

15 DER VERMUMMTE HERR: Das wird sich weisen. – (*zu Moritz*) Verschwinden Sie! – Was haben Sie hier zu tun! – Warum haben Sie denn den Kopf nicht auf?

MORITZ: Ich habe mich erschossen.

DER VERMUMMTE HERR: Dann bleiben Sie doch, wo Sie hingehören.
20 Dann sind Sie ja vorbei! Belästigen Sie uns hier nicht mit Ihrem Grabgestank. Unbegreiflich – sehen Sie doch nur Ihre Finger an. Pfui Teufel noch mal! Das zerbröckelt schon.

MORITZ: Schicken Sie mich bitte nicht fort…

MELCHIOR: Wer sind Sie, mein Herr??

25 MORITZ: Schicken Sie mich nicht fort! Ich bitte Sie. Lassen Sie mich hier noch ein Weilchen teilnehmen; ich will Ihnen in nichts entgegen sein. – – Es ist unten so schaurig.

DER VERMUMMTE HERR: Warum prahlen Sie denn dann mit Erhabenheit?! – Sie wissen doch, dass das Humbug ist – saure Trau-
30 ben! Warum lügen Sie geflissentlich, Sie – Hirngespinst! – – Wenn Ihnen eine so schätzenswerte Wohltat damit geschieht, so bleiben Sie meinetwegen. Aber hüten Sie sich vor Windbeuteleien, lieber Freund – und lassen Sie mir bitte Ihre Leichenhand aus dem Spiel!

35 MELCHIOR: Sagen Sie mir endlich, wer Sie sind, oder nicht?!

DER VERMUMMTE HERR: Nein. – Ich mache dir den Vorschlag, dich mir anzuvertrauen. Ich würde fürs Erste für dein Fortkommen sorgen.

MELCHIOR: Sie sind – mein Vater?!

DER VERMUMMTE HERR: Würdest du deinen Herrn Vater nicht an der Stimme erkennen?

MELCHIOR: Nein.

DER VERMUMMTE HERR: – Dein Herr Vater sucht Trost zur Stunde in 5 den kräftigen Armen deiner Mutter. – Ich erschließe dir die Welt. Deine momentane Fassungslosigkeit entspringt deiner miserablen Lage. Mit einem warmen Abendessen im Leib spottest du ihrer.

MELCHIOR (*für sich*): Es kann nur e i n e r der Teufel sein! – (*laut*) Nach 10 dem, was ich verschuldet, kann mir ein warmes Abendessen meine Ruhe nicht wiedergeben!

DER VERMUMMTE HERR: Es kommt auf das Abendessen an! – So viel kann ich dir sagen, dass die Kleine vorzüglich geboren hätte. Sie war musterhaft gebaut. Sie ist lediglich den Abortivmit- 15 teln[113] der Mutter Schmidtin erlegen. – – Ich führe dich unter Menschen. Ich gebe dir Gelegenheit, deinen Horizont in der fabelhaftesten Weise zu erweitern. Ich mache dich ausnahmslos mit allem bekannt, was die Welt Interessantes bietet. 20

MELCHIOR: Wer sind Sie? Wer sind Sie? – Ich kann mich einem Menschen nicht anvertrauen, den ich nicht kenne.

DER VERMUMMTE HERR: Du lernst mich nicht kennen, ohne dich mir anzuvertrauen.

MELCHIOR: Glauben Sie? 25

DER VERMUMMTE HERR: Tatsache! – Übrigens bleibt dir ja keine Wahl.

MELCHIOR: Ich kann jeden Moment meinem Freunde hier die Hand reichen.

DER VERMUMMTE HERR: Dein Freund ist ein Scharlatan. Es lächelt keiner, der noch einen Pfennig in bar besitzt. Der erhabene Humo- 30 rist ist das erbärmlichste, bedauernswerteste Geschöpf der Schöpfung!

MELCHIOR: Sei der Humorist, was er sei; Sie sagen mir, wer Sie sind, oder ich reiche dem Humoristen die Hand!

DER VERMUMMTE HERR: – Nun?! 35

MORITZ: Er hat Recht, Melchior. Ich habe bramarbasiert[114]. Lass

---

113 Mittel zur Abtreibung
114 geprahlt

dich von ihm traktieren und nütz ihn aus. Mag er noch so ver-
mummt sein – er ist es wenigstens!

MELCHIOR: Glauben Sie an Gott?

DER VERMUMMTE HERR: Je nach Umständen.

5 MELCHIOR: Wollen Sie mir sagen, wer das Pulver erfunden hat?

DER VERMUMMTE HERR: Berthold Schwarz[115] – alias Konstantin An-
klitzen – um 1330 Franziskanermönch zu Freiburg im Breisgau.

MORITZ: Was gäbe ich darum, wenn er es hätte bleiben lassen!

DER VERMUMMTE HERR: Sie würden sich eben erhängt haben!

10 MELCHIOR: Wie denken Sie über Moral?

DER VERMUMMTE HERR: Kerl – bin ich dein Schulknabe?!

MELCHIOR: Weiß ich, was Sie sind!!

MORITZ: Streitet nicht! – Bitte, streitet nicht. Was kommt dabei heraus! – Wozu sitzen wir, zwei Lebendige und ein Toter, nachts um

15 zwei Uhr hier auf dem Kirchhof beisammen, wenn wir streiten
wollen wie Saufbrüder! – Es soll mir ein Vergnügen sein, der Ver-
handlung mit beiwohnen zu dürfen. – Wenn ihr streiten wollt,
nehme ich meinen Kopf unter den Arm und gehe.

MELCHIOR: Du bist immer noch derselbe Angstmeier!

20 DER VERMUMMTE HERR: Das Gespenst hat nicht Unrecht. Man soll
seine Würde nicht außer Acht lassen. – Unter Moral verstehe ich
das reelle Produkt zweier imaginärer Größen. Die imaginären
Größen sind Sollen und Wollen. Das Produkt heißt Moral und
lässt sich in seiner Realität nicht leugnen.

25 MORITZ: Hätten Sie mir das doch vorher gesagt! – Meine Moral hat
mich in den Tod gejagt. Um meiner lieben Eltern willen griff ich
zum Mordgewehr. »Ehre Vater und Mutter, auf dass du lange le-
best.« An mir hat sich die Schrift phänomenal blamiert.

DER VERMUMMTE HERR: Geben Sie sich keinen Illusionen hin, lieber

30 Freund! Ihre lieben Eltern wären so wenig daran gestorben wie
Sie. Rigoros beurteilt würden sie ja lediglich aus gesundheitli-
chem Bedürfnis getobt und gewettert haben.

MELCHIOR: Das mag soweit ganz richtig sein. – Ich kann Ihnen aber
mit Bestimmtheit sagen, mein Herr, dass, wenn ich Moritz vor-

35 hin ohne weiteres die Hand gereicht hätte, einzig und allein
meine Moral die Schuld trüge.

---

115 Domherr in der Diözese Konstanz; entdeckte die Sprengwirkung des Pul-
vergemischs aus Schwefel, Salpeter und Holzkohle

III, 7

DER VERMUMMTE HERR: Dafür bist du eben nicht Moritz!

MORITZ: Ich glaube doch nicht, dass der Unterschied so wesentlich ist – zum mindesten nicht so zwingend, dass Sie nicht auch mir zufällig hätten begegnen dürfen, verehrter Unbekannter, als ich damals, das Pistol in der Tasche, durch die Erlenpflanzungen 5 trabte.

DER VERMUMMTE HERR: Erinnern Sie sich meiner denn nicht? Sie standen doch wahrlich auch im letzten Augenblick noch zwischen Tod und Leben. – Übrigens ist hier meines Erachtens doch wohl nicht ganz der Ort, eine so tief greifende Debatte in die 10 Länge zu ziehen.

MORITZ: Gewiss, es wird kühl, meine Herren! – Man hat mir zwar meinen Sonntagsanzug angezogen, aber ich trage weder Hemd noch Unterhosen.

MELCHIOR: Leb wohl, lieber Moritz. Wo dieser Mensch mich hin- 15 führt, weiß ich nicht. Aber er ist ein Mensch…

MORITZ: Lass michs nicht entgelten, Melchior, dass ich dich umzubringen suchte! Es war alte Anhänglichkeit. – Zeitlebens wollte ich nur klagen und jammern dürfen, wenn ich dich nun noch einmal hinausbegleiten könnte! 20

DER VERMUMMTE HERR: Schließlich hat jeder sein Teil – Sie das beruhigende Bewusstsein, nichts zu haben – du den enervierenden[116] Zweifel an allem. – Leben Sie wohl.

MELCHIOR: Leb wohl, Moritz! Nimm meinen herzlichen Dank dafür, dass du mir noch erschienen. Wie manchen frohen ungetrübten 25 Tag wir nicht miteinander verlebt haben in den vierzehn Jahren! Ich verspreche dir, Moritz, mag nun werden was will, mag ich in den kommenden Jahren zehnmal ein anderer werden, mag es aufwärts oder abwärts mit mir gehn, dich werde ich nie vergessen… 30

MORITZ: Dank, dank, Geliebter.

MELCHIOR: … und wenn ich einmal ein alter Mann in grauen Haaren bin, dann stehst gerade du mir vielleicht wieder näher als alle Mitlebenden.

MORITZ: Ich danke dir. – Glück auf den Weg, meine Herren! – Las- 35 sen Sie sich nicht länger aufhalten.

DER VERMUMMTE HERR: Komm, Kind! – (*Er legt seinen Arm in den-*

---

116 nervenaufreibend

jenigen Melchiors und entfernt sich mit ihm über die Gräber hin.)

MORITZ (*allein*): – Da sitze ich nun mit meinem Kopf im Arm. – – Der Mond verhüllt sein Gesicht, entschleiert sich wieder und sieht um kein Haar gescheiter aus. – – So kehre ich denn zu meinem Plätzchen zurück, richte mein Kreuz auf, das mir der Tollkopf so rücksichtslos niedergestampft, und wenn alles in Ordnung, leg ich mich wieder auf den Rücken, wärme mich an der Verwesung und lächle...

MATERIALIEN

I   Der Dichter und sein Stück – „eine unerhörte Unflätigkeit"

Frank Wedekind als der „Vermummte Herr", um 1910

Außerhalb des Sperrbezirks
Wedekind „Frühlings Erwachen"

„Hast du schon einmal zwei Hunde über die Straße laufen sehen?", fragt der ahnungsvolle Melchior den ahnungslosen Moritz, und der antwortet bündig: „Nein." Damit ist dieser Aufklärungsversuch schon mal gescheitert. Weitere folgen, einer kläglicher als der andere, und am Ende steht folgerichtig die pure 5 Katastrophe in Gestalt zweier toter Kinder – der Schock musste sein um eines dramatischen Lernerfolgs willen, der die herrschende Sexualpädagogik vor der Jahrhundertwende zunächst beschämt und dann vielleicht ein wenig emanzipiert hat.

Nicht an einem Mangel, sondern eher an einem Übermaß an 10 Aufklärung und Information laboriert heutzutage die westliche Zivilisation; rührend und vergeblich muten die Bemühungen im Programmheft an, den Aktualitätsnachweis für die Kindertragödie von 1890 zu erbringen. Nein, die Geschichte hat inzwischen gearbeitet, nichts ist weniger aktuell als „Frühlings Erwachen", 15 und weniges ist schöner, bezaubernder in seiner poetischen Ausstrahlung als dieses dramatische Debüt des Frank Wedekind. Das sind die nicht geringen Widersprüche, mit denen die nach wie vor zahlreichen Aufführungen des Stücks heute zurechtkommen müssen. 20

Martin Krumbholz

aus: Theater heute, Heft 7/1998, S. 63.

Albert Langen Verlag in München 1907

Umschlagtitel der Erstausgabe

1   Frank Wedekind:
„Der Plan entstand nach der dritten Szene" (1911)

Ich begann zu schreiben ohne irgendeinen Plan, mit der Absicht zu schreiben, was mir Vergnügen macht. Der Plan entstand nach der dritten Szene und setzte sich aus persönlichen Erlebnissen oder Erlebnissen meiner Schulkameraden zusammen. Fast jede
5 Szene entspricht einem wirklichen Vorgang. Sogar die Worte: „Der Junge war nicht von mir", die man mir als krasse Übertreibung vorgeworfen, fielen in Wirklichkeit.

Während der Arbeit bildete ich mir etwas darauf ein, in keiner Szene, sei sie noch so ernst, den Humor zu verlieren. Bis zur Auf-
10 führung durch Reinhardt galt das Stück als reine Pornographie.

Jetzt hat man sich dazu aufgerafft, es als trockenste Schulmeisterei anzuerkennen. Humor will noch immer niemand darin sehen.

Es widerstrebte mir, das Stück, ohne Ausblick auf das Leben der Erwachsenen, unter Schulkindern zu schließen. Deshalb führte ich in der letzten Szene den Vermummten Herrn an. Als Modell für 15 den aus dem Grab gestiegenen Moritz Stiefel, die Verkörperung des Todes, wählte ich die Philosophie Nietzsches.

[...]

Frank Wedekind: Werke in drei Bänden. Prosa, hrsg. von Manfred Hahn. Aufbau-Verlag, Berlin und Weimar 1969, S. 338.

2 Frank Wedekind: „Die Erscheinungen der Pubertät bei der heranwachsenden Jugend"

Zürich, 5. XII. 1891

Sehr geehrter Herr!

Gestatten Sie mir, Ihnen mit gleicher Post eine Arbeit, „Frühlingserwachen", vorzulegen, in der ich die Erscheinungen der Pubertät bei der heranwachsenden Jugend poetisch zu gestalten suchte, um denselben wenn möglich bei Erziehern, Eltern und 5 Lehrern zu einer humaneren rationelleren Beurteilung zu verhelfen. Inwieweit es mir gelungen, den an sich düstern Stoff in ein erträgliches Licht zu stellen, entzieht sich meinem Ermessen. Ihrer hochgeschätzten Kritik wäre ich aufrichtig zu Dank verpflichtet, wenn sie sich dazu verstände, meinen Intentionen und 10 der Art und Weise sie zu verfolgen ihre geehrte Aufmerksamkeit zu schenken.

Indem ich Sie nochmals ersuche, die Versicherung meiner vorzüglichen Hochachtung zu genehmigen.

Mit ergebenstem Gruß   Fr. Wedekind

Frank Wedekind: Werke in drei Bänden. Prosa, hrsg. von Manfred Hahn. Aufbau-Verlag, Berlin und Weimar 1969, S. 452 f.

3 Frank Wedekind: Ein „sonniges Abbild des Lebens" (1909)

[...] Hat sie [die Kritik] vor zwanzig Jahren gewusst, was mein „Frühlings Erwachen" war? Im Gegenteil, von dem unparteiischen Humor, den ich in sämtlichen Szenen des Stückes, eine einzige ausgenommen, mit vollem Bewusstsein zu Wort kommen
5 ließ, hat diese Kritik auch heute noch nicht die leiseste Ahnung. Diesen Mangel an Verständnis möchte ich den Herren indessen gar nicht so schwer anrechnen. Ein Lump tut mehr, als er kann. Was können sie für die grauenvolle Humorlosigkeit, die unsere naturalistische Schulfexerei als Erbe hinterlassen. In meinem
10 Theater, sagte mir ein berühmter Berliner Theatermagnat, darf nur gelacht werden, wenn durch Gelächter auf der Bühne dem Publikum das Zeichen dafür gegeben wurde. Und der Humor, mit dem ich mein „Frühlings Erwachen" durchtränkte, hat bei meinem Publikum bis heute noch ebenso wenig Würdigung gefun
15 den wie bei der Kritik. Zehn Jahre lang, von 1891 bis etwa 1901, wurde das Stück allgemein, die wenigen, die es zu schätzen wussten, ausgenommen, für eine unerhörte Unflätigkeit gehalten. Seit etwa 1901, vor allem seitdem Max Reinhardt es auf die Bühne brachte, hält man es nun für eine bitterböse, steinernste Tragödie,
20 für ein Tendenzstück, für eine Streitschrift im Dienste der sexuellen Aufklärung, und was der spießbürgerlich pedantischen Schlagworte mehr sind. Nimmt mich wunder, ob ich es noch erleben werde, dass man das Buch endlich für das nimmt, als was ich es vor zwanzig Jahren geschrieben habe, für ein sonniges Ab
25 bild des Lebens, in dem ich jeder einzelnen Szene an unbekümmertem Humor alles abzugewinnen suchte, was irgendwie daraus zu schöpfen war. Nur als Peripetie des Dramas fügte ich des Kontrastes wegen eine allen Humors bare Szene ein: Herr und Frau Gabor im Streit um das Schicksal ihres Kindes. Hier, kann ich
30 meinen, müsse der Spaß aufhören. Als Vorbild hatte mir dazu die Szene „Trüber Tag, Feld" im I. Teil des „Faust" gedient. [...]

Frank Wedekind: Werke in drei Bänden. Prosa, Aufbau-Verlag, Berlin und Weimar 1969, S. 364. Ausschnitt.

II Schulische Erziehung um 1900 – „Wie er umgekommen, weiß niemand zu sagen"

1 An Adolph Vögtlin

Schloss Lenzburg, VII. 1881.

Lieber Adolph!

Nun noch eine Nachricht, die sowohl dir wie deinen Genossen von der Kantonsschule sehr unerfreulich klingen wird: Letzten Freitag schwänzte Frank Oberlin die Schule. Samstagsmorgen um 4 Uhr nimmt er sein Geschichtsbuch und geht in den Schachen[1], um Geschichte zu repetieren. Zwei Stunden später, um 6 Uhr, fand man seinen Leichnam, der in der Telli von der Aare aufs Land geworfen war. Wie er umgekommen, weiß niemand zu sagen. Die Vermutungen aber über seinen Tod halte ich für zu grundlos und unwürdig, als dass ich sie weitermelden möchte. Seine irdische Hülle wurde nach Muri gebracht, um dort beerdigt zu werden. Die Gedanken eines Pessimisten über diesen Vorfall wirst du erraten. Ich umgehe also ihre Mitteilung.

Und nun leb wohl. Grüße Pöldi, Sigrist und Schibler und dich selbst aufs Freundschaftlichste von deinem dir treu ergebenen

Confrater Franklin.

Der vermummte Herr. Frank Wedekinds Briefe aus den Jahren 1881–1917. Deutscher Taschenbuch Verlag, München 1967, S. 7 f.

---

1 Niederung, Uferland

„Dieser ungeratene Bengel! Nicht weniger als sechs Fehler habe ich in seinem Abschiedsbrief an mich gefunden!"

2 Stefan Zweig: Die Schule im vorigen Jahrhundert (1944)

[...] Dass ich nach der Volksschule auf das Gymnasium gesandt wurde, war nur eine Selbstverständlichkeit. Man hielt in jeder begüterten Familie schon um des Gesellschaftlichen willen sorglich darauf, „gebildete" Söhne zu haben; man ließ sie Französisch
5 und Englisch lernen, machte sie mit Musik vertraut, hielt ihnen zuerst Gouvernanten und dann Hauslehrer für gute Manieren. Aber nur die so genannte „akademische" Bildung, die zur Universität führte, verlieh in jenen Zeiten des „aufgeklärten" Liberalismus vollen Wert; darum gehörte es zum Ehrgeiz jeder „guten" Fami-
10 lie, dass wenigstens einer ihrer Söhne vor dem Namen irgendeinen Doktortitel trug. Dieser Weg bis zur Universität war nun ziemlich lang und keineswegs rosig. Fünf Jahre Volksschule und acht Jahre Gymnasium mussten auf hölzerner Bank durchgesessen werden, täglich fünf bis sechs Stunden, und in der freien Zeit die
15 Schulaufgaben bewältigt und überdies noch, was die „allgemeine Bildung" forderte neben der Schule, Französisch, Englisch, Italienisch, die „lebendigen" Sprachen neben den klassischen Griechisch und Latein – also fünf Sprachen zu Geometrie und Physik und den übrigen Schulgegenständen. Es war mehr als zu viel und
20 ließ für die körperliche Entwicklung, für Sport und Spaziergänge fast keinen Raum und vor allem nicht für Frohsinn und Vergnügen. Dunkel erinnere ich mich, dass wir als Siebenjährige irgendein Lied von der „fröhlichen, seligen Kinderzeit" auswendig lernen und im Chor singen mussten. Ich habe die Melodie dieses
25 einfach-einfältigen Liedchens noch im Ohr, aber sein Text ist mir schon damals schwer über die Lippen gegangen und noch weniger als Überzeugung ins Herz gedrungen. Denn meine ganze Schulzeit war, wenn ich ehrlich sein soll, nichts als ein ständiger gelangweilter Überdruss, von Jahr zu Jahr gesteigert durch die
30 Ungeduld, dieser Tretmühle zu entkommen. Ich kann mich nicht besinnen, je „fröhlich" noch „selig" innerhalb jenes monotonen, herzlosen und geistlosen Schulbetriebs gewesen zu sein, der uns die schönste, freieste Epoche des Daseins gründlich vergällte, und ich gestehe sogar, mich heute noch eines gewissen Neides

nicht erwehren zu können, wenn ich sehe, um wie viel glücklicher, 35
freier, selbständiger sich in diesem Jahrhundert die Kindheit entfalten kann. Noch immer kommt es mir unwahrscheinlich vor,
wenn ich beobachte, wie heute Kinder unbefangen und fast au
pair mit ihren Lehrern plaudern, wie sie angstlos statt wie wir mit
einem ständigen Unzulänglichkeitsgefühl zur Schule eilen, wie 40
sie ihre Wünsche, ihre Neigungen aus junger, neugieriger Seele
in Schule und Haus offen bekennen dürfen – freie, selbständige,
natürliche Wesen, indes wir, kaum dass wir das verhasste Haus
betraten, uns gleichsam in uns hineinducken mussten, um nicht
mit der Stirn gegen das unsichtbare Joch zu stoßen. Schule war 45
für uns Zwang, Öde, Langeweile, eine Stätte, in der man die „Wis-
senschaft des nicht Wissenswerten" in genau abgeteilten Portio-
nen sich einzuverleiben hatte, scholastische oder scholastisch ge-
machte Materien, von denen wir fühlten, dass sie auf das reale
und auf unser persönliches Interesse keinerlei Bezug haben konn- 50
ten. Es war ein stumpfes, ödes Lernen nicht um des Lebens willen, sondern um des Lernens willen, das uns die alte Pädagogik
aufzwang. Und der einzige wirklich beschwingte Glücksmoment,
den ich der Schule zu dan-
ken habe, wurde der Tag, da 55
ich ihre Tür für immer hinter mir zuschlug.

Nicht dass unsere öster-
reichischen Schulen an sich
schlecht gewesen wären. 60
Im Gegenteil, der so ge-
nannte „Lehrplan" war
nach hundertjähriger Erfahrung sorgsam ausgearbei-
tet und hätte, wenn anre- 65
gend übermittelt, eine
fruchtbare und ziemlich uni-
versale Bildung fundieren
können. Aber eben durch
die akkurate Planhaftigkeit 70
und ihre trockene Schema-
tisierung wurden unsere

Wieder eine schlechte Osterzensur!

Schulstunden grauenhaft dürr und unlebendig, ein kalter Lernapparat, der sich nie an dem Individuum regulierte und nur wie ein
75 Automat mit Ziffern „gut, genügend, ungenügend" aufzeigte, wieweit man den „Anforderungen" des Lehrplans entsprochen hatte. Gerade aber diese menschliche Lieblosigkeit, diese nüchterne Unpersönlichkeit und das Kasernenhafte des Umgangs war es, was uns unbewusst erbitterte. Wir hatten unser Pensum zu
80 lernen und wurden geprüft, was wir gelernt hatten; kein Lehrer fragte ein einziges Mal in acht Jahren, was wir persönlich zu lernen begehrten, und just jener fördernde Aufschwung, nach dem jeder junge Mensch sich doch heimlich sehnt, blieb vollkommen aus.

85 [...] Alles, was uns heute als beneidenswerter Besitz erscheint, die Frische, das Selbstbewusstsein, die Verwegenheit, die Neugier, die Lebenslust der Jugend, galt jener Zeit, die nur Sinn für das „Solide" hatte, als verdächtig. [...]

Einzig aus dieser sonderbaren Einstellung ist es zu verstehen,
90 dass der Staat die Schule als Instrument zur Aufrechterhaltung seiner Autorität ausbeutete. Wir sollten vor allem erzogen werden, überall das Bestehende als das Vollkommene zu respektieren, die Meinung des Lehrers als unfehlbar, das Wort des Vaters als unwidersprechlich, die Einrichtungen des Staates als die absolut und in alle Ewigkeit gültigen. Ein zweiter kardinaler Grundsatz jener Pädagogik, den man auch innerhalb der Familie handhabte, ging dahin, dass junge Leute es nicht zu bequem haben sollten. Ehe man ihnen irgendwelche Rechte zubilligte, sollten sie lernen, dass sie Pflichten hatten und vor allem die Pflicht vollkommener Fügsamkeit. Von Anfang an sollte uns eingeprägt werden, dass wir, die wir im Leben noch nichts geleistet hatten und keinerlei Erfahrung besaßen, einzig dankbar zu sein hatten für alles, was man uns gewährte, und keinen Anspruch, etwas zu fragen oder zu fordern. Von frühester Kindheit an wurde in meiner Zeit diese stupide Methode der Einschüchterung geübt. [...]

Stefan Zweig: Die Welt von Gestern. Erinnerungen eines Europäers. S. Fischer Verlag, Frankfurt a. M. 1970, S. 44–46, 51. © Bermann-Fischer Verlag, Stockholm 1944.

3 Georg Heym: An das Provinzialkollegium in Berlin (1906)

Ich, der Oberprimaner Georg Heym, Sohn des kaiserlichen Militäranwalts Hermann Heym, Berlin W 30, Martin Lutherstr. 5, geboren den 30. X. 1887 zu Hirschberg im Riesengebirge, seit Ostern 1905 Schüler des Ruppiner Gymnasiums, gestorben durch eigene Hand den   zu   [1], erlaube mir einem hohen Provinzial- 5 schulkollegium noch aus dem Hades[2], damit der Tragödie auch das Satyrspiel[3] nicht fehle, gehorsamst Folgendes zu unterbreiten:

Es ist das hohe Provinzialschulkollegium gehalten, zu statistischen Zwecken über jeden Schülerselbstmord Listen zu führen; 10 zwar sollte eigentlich nach des Schreibers unmaßgeblicher Meinung über die Gründe des Selbstmords niemals von so wenig dazu geeigneten Persönlichkeiten geurteilt werden dürfen – sie werden meist gleich lautend wegen nicht erfolgter Versetzung gebucht, sind natürlich aber viel tiefer, wobei natürlich auch die 15 Schulmisere mitstimmt, ja oft, indem die Schule, statt den jungen leidenden Menschen an sich heranzuziehen, ihn unverstanden von sich stößt, ausschlaggebend – aber (es wird nach zizeronischem Stil das „zwar" der vorigen Seite wieder aufgenommen), da es nun doch einmal Brauch ist, eines Toten feinste See- 20 lenregung zu registrieren, so will ich, einem hohen Kollegium die Mühe ersparend, ihm selbst kurz meines Todes Zweck und Grund berichten.

Ich kam also Ostern 1905 aus Berlin vom Gymnasium vallis Joachimica, dem gymnasium illustre, dem ich hier noch einmal für 30 alles Schöne danke, was ich auf ihm lernen durfte, besonders dem Herrn Direktor Barth für seine Homer- und Sophoklesstunden, nach dem Ort Neuruppin am Rhin. Ich wurde von dem hiesigen, – verzeihen Sie – Schulmonarchen Dr. Heinrich B ... (von den Schülern „Bluthund" genannt) mit einem eigentümlich groben 35

---

1 Der Raum für die Eintragung des Datums und des Ortes wurde bei der Niederschrift des im August 1906 verfassten Briefes offen gelassen.

2 Unterwelt

3 heiteres szen. Nachspiel der klass. griech. Tragödientrilogie

Ton empfangen, der mir, wie sehr ich es auch verdient hatte, auf der vallis Joachimica niemals zu Ohren gekommen war, mich also gleich misstrauisch machte. Am Tage darauf mussten wir in Rekrutenart in der Aula exerzieren unter Oberleitung des B...
40 Nachdem er die unteren Klassen entlassen hatte, wandte er sich mit einigen kräftigen Begrüßungsworten an uns. Er sagte unter anderem wörtlich: „Wie wenige von euch sehen doch gesund aus. Ja, das kommt eben vom Bier, vom Tabak, ja und besonders von dem, wovon man nicht spricht. Da seht euch nur den Rade-
45 macher an und den Moritz an, ja der sieht gesund aus, aber da steckt's inwendig, der ist ein moralisches Raubein." Das sagte er vor 50 Schülern. Er wusste sehr wohl, dass diese beiden Schüler infolge besonderer Umstände auf seiner Anstalt bleiben muss-ten. Dieser Semesteranfang berührte mich sehr fremdartig.
50 Meine Mitschüler aber waren offenbar schon an derlei gewöhnt, besonders jenes heikle Thema machte auf sie keinen besonderen Eindruck. „Er braucht das öfter", sagte mir ein neuer Mitschüler, dessen Namen ich verschweige, um ihm unliebsame Weiterun-gen zu ersparen. Tatsächlich habe ich auch noch einige Male von
55 B... ähnliche Worte gehört.

Im Laufe des Semesters, das mit zusammen 24 oder 23 Schü-lern begann, flohen vor B... allein im Sommersemester 6 Schüler, deren Eltern in der glücklichen Lage waren, ihre Söhne ander-weitig unterzubringen. Einer von ihnen, v. Kräntzki, nachdem er
70 auf's Schwerste beleidigt war.

Auch ich wollte, nachdem ich Oberprimareife erlangt hatte, meine Sachen packen, – hatte er mir doch oft selbst gesagt: „Schnüren Sie nur Ihr Bündel wieder", – aber als ich schon soweit war, endlich aus diesem Kerker der Jugend zu entfliehen, sagte er
75 mir in persönlicher Audienz: „Wenn Sie jetzt fortgehen, werde ich alles daran setzen zu verhindern, dass Sie Michaelis[4] 1906 Ihr Ex-amen machen." Auf diese vornehme Gesinnungsäußerung hin musste ich natürlich aushalten. Es kam dann die Affäre zwischen ihm und Herrn Oberlehrer Zerlangk. Lehrer- und Schülerschaft
80 waren einstimmig auf des Herrn Zerlangk Seite. Trotzdem gelang es wieder dem überaus raffinierten B..., durch geeignete Wahl von Worten in Jesuitenmanier sich reinzuwaschen. Er muss aber selbst von seiner Unzulänglichkeit überzeugt sein, denn er

schrieb in einem Brief an Herrn Morchel, hier (dies kann ich allerdings nicht genau mitteilen, da ich nicht genau den Adressaten, 85
wohl aber den Wortlaut kenne), dass er es selbst einsähe, dass es
für Stadt und Gymnasium besser gewesen wäre, wenn er schon
nach 5 Jahren gegangen wäre. Es kamen noch im Winterhalbjahr
mehr Fälle von Rohheit vor. So schlug er mich einmal mit der ge-
ballten Faust auf den Arm. Mein Vater, an den ich mich wieder 90
einmal wandte, ließ sich natürlich von ihm auf seine Seite ziehen.
Im Sommerhalbjahr hatte ich wieder einen schweren Kampf mit
ihm wegen eines Mädchens aus einer sehr angesehenen hiesigen
Familie, mit der er mir spazieren zu gehen verbot. Hierin mögen
sich vielleicht eines hohen Kollegiums und eines B… Begriffe 95
decken, aber ich gebe einem hohen Kollegium zu bedenken, dass
es doch auch einmal jung gewesen ist. Jedenfalls, verehrter Herr
Schulrat Lambeck, „ein sehr hervorragender Pädagoge" ist Herr
B… nicht.

Ich habe aber nun auch genug davon, Ihnen meines Schulle- 100
bens Misere vorzutragen, vielleicht hat diese Anklage gegen B…
den Erfolg, dass er aus Ruppin gejagt wird, vielleicht bleibt auch
alles, wie schon so oft, beim Alten, und ich habe nutzlos den teu-
ersten Preis, den ich für Erlösung Ruppins von B… zahlen konnte, mein eigenes Leben, darangesetzt. 105

Ich habe jedenfalls meiner Pflicht gegen die Überlebenden
genügt, indem ich versuchte, sie von B… zu befreien.

Das andere, das mich zum Tode treibt, gehört nicht vor Ihr
Forum, denn es ist ja leider Gottes in Preußens Schulen noch nie
ein Lehrer seines Schülers bester und vertrauenswertester 110
Freund gewesen. Und hiermit schließe ich mein

„j'accuse",

schon Apollons Todespfeil in der Hand.

Nur noch eins. Dass B… als Pädagoge geradezu untauglich ist,
beweist auch Folgendes: Gelegentlich einer Untersuchung si- 115
cherte B… sämtlichen Schuldigen vor der ganzen Klasse Straflo-
sigkeit zu, falls sie sich melden würden. Sie meldeten sich und
wurden bestraft. Ich meine nun, ein Lügner kann doch nicht vor-

---

4 29. September

85

bildlich sein. In England wäre er sofort infam kassiert worden.
120 Auch hier wird sich wahrscheinlich B...s jesuitisch feine Dialektik
einen Ausweg bahnen, aber vielleicht wird ihm diesmal nicht geglaubt.

*Unter dem Rohrstock. Schülerleben um 1900. Eine Anthologie. Hrsg. von Thomas
Kastrura. Goldmann Verlag, München 2000, S. 269–272.*

„Eine Mordtat ist in Deutschland straffrei: wenn ein Vater seinen Sohn auf ein hu-
manistisches Gymnasium gibt."

4 Friedrich Nietzsche: Kritik an der bildungsbürgerlichen Jugenderziehung (1874)

[...] Die deutsche Jugenderziehung geht aber gerade von diesem falschen und unfruchtbaren Begriffe der Kultur aus: Ihr Ziel, recht rein und hoch gedacht, ist gar nicht der freie Gebildete, sondern der Gelehrte, der wissenschaftliche Mensch, und zwar der möglichst früh nutzbare wissenschaftliche Mensch, der sich abseits 5 von dem Leben stellt, um es recht deutlich zu erkennen; ihr Resultat, recht empirisch-gemein angeschaut, ist der historisch-ästhetische Bildungsphilister, der altkluge und neuweise Schwätzer über Staat, Kirche und Kunst, das Sensorium für tausenderlei Anempfindungen, der unersättliche Magen, der doch nicht weiß, 10 was ein rechtschaffner Hunger und Durst ist.

Dass eine Erziehung mit jenem Ziele und mit diesem Resultate eine widernatürliche ist, das fühlt nur der in ihr noch nicht fertig gewordene Mensch, das fühlt allein der Instinkt der Jugend, weil sie noch den Instinkt der Natur hat, der erst künstlich und ge- 15 waltsam durch jene Erziehung gebrochen wird. Wer aber diese Erziehung wiederum brechen will, der muss der Jugend zum Worte verhelfen, der muss ihrem unbewussten Widerstreben mit der Helligkeit der Begriffe voranleuchten und es zu einem bewussten und laut redenden Bewusstsein machen. Wie erreicht er 20 wohl ein so befremdliches Ziel?

Vor allem dadurch, dass er einen Aberglauben zerstört, den Glauben an die *Notwendigkeit* jener Erziehungs-Operation. Meint man doch, es gäbe gar keine andre Möglichkeit als eben unsre jetzige höchst leidige Wirklichkeit. Prüfe nur einer die Literatur 25 des höheren Schul- und Erziehungswesens aus den letzten Jahrzehnten gerade daraufhin: Der Prüfende wird zu seinem unmutigen Erstaunen gewahr werden, wie gleichförmig bei allen Schwankungen der Vorschläge, bei aller Heftigkeit der Widersprüche die gesamte Absicht der Erziehung gedacht wird, wie un- 30 bedenklich das bisherige Ergebnis, der „gebildete Mensch", wie er jetzt verstanden wird, als notwendiges und vernünftiges Fundament jeder weiteren Erziehung angenommen ist. So aber würde jener eintönige Kanon ungefähr lauten: Der junge Mensch hat mit einem Wissen um die Bildung, nicht einmal mit einem 35

Wissen um das Leben, noch weniger mit dem Leben und Erleben
selbst zu beginnen. Und zwar wird dieses Wissen um die Bildung
als historisches Wissen dem Jüngling eingeflößt oder eingerührt;
das heißt, sein Kopf wird mit einer ungeheuren Anzahl von Be-
40 griffen angefüllt, die aus der höchst mittelbaren Kenntnis ver-
gangner Zeiten und Völker, nicht aus der unmittelbaren Anschau-
ung des Lebens abgezogen sind. Seine Begierde, selbst etwas zu
erfahren und ein zusammenhängend lebendiges System von eig-
nen Erfahrungen in sich wachsen zu fühlen – eine solche Begier-
45 de wird betäubt und gleichsam trunken gemacht, nämlich durch
die üppige Vorspiegelung, als ob es in wenig Jahren möglich sei,
die höchsten und merkwürdigsten Erfahrungen alter Zeiten, und
gerade der größten Zeiten, in sich zu summieren. […]

Friedrich Nietzsche: Vom Nutzen und Nachteil der Historie für das Leben. Reclam Verlag, Ditzingen 1982, S. 102–104. Ausschnitt.

III Das Drama der Pubertät

1 Professor Dr. E. Heinrich Kisch: Die Hygiene der jungen Mädchen

Um das 14. bis 15. Lebensjahr treten (in unseren Klimaten) bei den jungen Mädchen jene Entwicklungsveränderungen auf, die das Kind zur heranreifenden Jungfrau umgestalten. In dieser Zeit geht eine gewaltige Umgestaltung des ganzen Organismus vor sich, der sich der Naturbestimmung des Weibes als 5 zukünftiger Gattin und Mutter allmählich anpassen muss. [...]

Auch die unschuldigste und unerfahrenste Jungfrau wird von der Ahnung erfüllt, dass ihr ferneres Leben vor neuen Aufgaben steht, und von dem Sehnen beherrscht, dass die Liebe in ihr Herz einziehe. Die kindliche Unbefangenheit ist dahin, das seelische 10 Gleichgewicht gestört. Lachen und Weinen, lustiges Singen und stummes Hinbrüten wechseln rasch, die Gesellschaft der Jünglinge wird schamhaft gemieden und doch wieder sehnsüchtig aufgesucht, der Geschmack an den früheren Spielen ändert sich, das Gefallen an neuen Beschäftigungen fröhlicher und ernster 15 Art tritt hervor. [...]

Unter den krankhaften Vorgängen in den weiblichen Entwicklungsjahren ist am häufigsten und auffallendsten die Bleichsucht (Chlorose) der jungen Mädchen, Zustände von allgemeiner Blässe mit Abnahme der Kräfte, die durch eine Veränderung der Blut- 20 beschaffenheit hervorgerufen werden. [...] Und diese Verminde-

rung der Blutneubildung ist wiederum durch mannigfaltige Momente der inneren Entwicklungsstörung wie der äußeren Lebensführung bedingt, in letzter Beziehung durch nicht zweckent-
25 sprechende, ungenügende Nahrung, durch langes Stubenhocken in ungelüfteten Räumen, durch nicht ausreichende Dauer des Nachtschlafes, durch anhaltende Gemütsbewegung und seelische Erregung, durch unhygienische Kleidung, die dem steten Wachstum des Körpers nicht Rechnung trägt. Ganz besonders
30 wird in jüngster Zeit auch die Schädlichkeit des Tragens des Mieders, der Schnürbrust mit dem Zustandekommen der Bleichsucht in Verbindung gebracht. [...]

Ausreichende körperliche Bewegung, namentlich in frischer Luft, ist im Allgemeinen den jungen Mädchen dringend anzura-
35 ten, allerdings mit der notwendigen Berücksichtigung der zulangenden Kräfte und des individuellen Befindens. [...]

Das viele Stubenhocken und Stillsitzen, sei es an der Nähmaschine und am Arbeitstische, oder am Piano und über den Büchern, sowie das träumerische Liegen auf dem Sofa wirken
40 nach allen diesen Richtungen geradezu schädlich. [...]

Außerordentlich großen Einfluss auf das psychische wie das ethische Gedeihen der jungen Mädchen in dem Alter des Heranreifens übt die häusliche Erziehung. Die mütterliche Überwachung der heranreifenden Jungfrau in Bezug auf Umgang mit in-
45 nerlich anständigen Menschen, auf Lektüre guter, unterhaltender Bücher, auf Besuch von Gesellschaften und Theatern, auf Betätigung an den modernen Sportplätzen wie auf dem Tanzboden – vermag viele Gefahren zu vermeiden. [...] Sie („eine kluge und liebende Mutter") wird es nicht an nötiger Aufklärung und freudi-
50 ger Belehrung fehlen lassen, dass nicht Unwissenheit und falsches Wissen in den jungen Körpern Verwirrung anrichten, dass nicht ungesunde Vorstellungen die Fantasie erhitzen. [...]

Querschnitt durch die Gartenlaube. Hrsg. von Heinz Klüter. Deutscher Bücherbund mit Genehmigung des Scherz Verlages, München 1963.

2 Stefan Zweig: Eros Matutinus (1944)

Während dieser acht Jahre der höheren Schule ereignete sich für
jeden von uns ein höchst persönliches Faktum: Wir wurden aus
zehnjährigen Kindern allmählich sechzehnjährige, siebzehnjähri-
ge, achtzehnjährige mannbare junge Menschen und die Natur begann ihre Rechte anzumelden. Dieses Erwachen der Pubertät 5
scheint nun ein durchaus privates Problem, das jeder heranwachsende Mensch auf seine eigene Weise mit sich auszukämp-
fen hat, und für den ersten Blick keineswegs zu öffentlicher Erör-
terung geeignet. Für unsere Generation aber wuchs jene Krise
über ihre eigentliche Sphäre hinaus. Sie zeigte zugleich ein Er- 10
wachen in einem anderen Sinne, denn sie lehrte uns zum ersten
Mal jene gesellschaftliche Welt, in der wir aufgewachsen waren,
und ihre Konventionen mit kritischerem Sinn zu beobachten. Kinder und selbst junge Leute sind im Allgemeinen geneigt, sich
zunächst den Gesetzen ihres Milieus respektvoll anzupassen. 15
Aber sie unterwerfen sich den ihnen anbefohlenen Konventionen
nur insolange, als sie sehen, dass diese auch von allen andern
ehrlich innegehalten werden. Eine einzige Unwahrhaftigkeit bei
Lehrern oder Eltern treibt den jungen Menschen unvermeidlich
an, seine ganze Umwelt mit misstrauischem und damit schärfe- 20
rem Blick zu betrachten. Und wir brauchten nicht lange, um zu
entdecken, dass alle jene Autoritäten, denen wir bisher Vertrauen
geschenkt, dass Schule, Familie und die öffentliche Moral in diesem einen Punkt der Sexualität sich merkwürdig unaufrichtig ge-
bärdeten – und sogar mehr noch: dass sie auch von uns in diesem 25
Belange Heimlichkeit und Hinterhältigkeit fordern.

Unser Jahrhundert [...] empfand die Sexualität als ein anarchi-
sches und darum störendes Element, das sich nicht in ihre Ethik
eingliedern ließ, und das man nicht am lichten Tage schalten
lasse dürfe, weil jede Form einer freien, einer außerehelichen 30
Liebe dem bürgerlichen „Anstand" widersprach. In diesem Zwie-
spalt erfand nun jene Zeit einen sonderbaren Kompromiss. Sie
beschränkte ihre Moral darauf, dem jungen Menschen zwar nicht
zu verbieten, seine vita sexualis auszuüben, aber sie forderte,
dass er diese peinliche Angelegenheit in irgendeiner unauffälli- 35
gen Weise erledigte. War die Sexualität schon nicht aus der Welt

zu schaffen, so sollte sie wenigstens innerhalb ihrer Welt der Sitte nicht sichtbar sein. Es wurde also die stillschweigende Vereinbarung getroffen, den ganzen ärgerlichen Komplex weder in der
40 Schule, noch in der Familie, noch in der Öffentlichkeit zu erörtern und alles zu unterdrücken, was an sein Vorhandensein erinnern könnte.

Stefan Zweig: Die Welt von gestern. Erinnerungen eines Europäers. S. Fischer Verlag, Frankfurt/M. 1970, S. 37 ff.

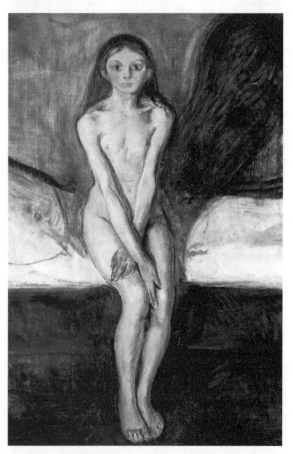

Edvard Munch: Pubertät, 1894

3 Frank Wedekind: Über Erotik (1910)

[...] Infolge von Unglücksfällen aller Art, Selbstmorden usw. drängt sich uns seit einigen Jahren das Problem der sexuellen Aufklärung der Jugend auf.

Unsere Jugend hat es nun aber meiner Ansicht nach gar nicht in erster Linie nötig, sexuell aufgeklärt zu werden. Eine genauere 5 Aufklärung über Vorgänge und vor allen Dingen Gefahren der Sexualität hat nicht die Schule, sondern das Haus zu besorgen. Das Haus, die Familie aber hat die heranwachsende Jugend vor allem darüber aufzuklären, dass es in der Natur überhaupt gar keine unanständigen Vorgänge gibt, sondern nur nützliche und 10 schädliche, vernünftige und unvernünftige. Dass es in der Natur aber unanständige Menschen gibt, die über diese Vorgänge nicht anständig reden oder die sich bei diesen Vorgängen nicht anständig benehmen können.

Warum? Weil es ihnen an Bildung, an geistiger Freiheit fehlt. 15 Die Jugend wächst nicht in angeborener Dummheit und Blindheit heran. Ein wahnwitziges Verbrechen ist es hingegen, die Jugend systematisch zur Dummheit und Blindheit ihrer Sexualität ge-

„Unser Fritz wollte heute von mir sexuell aufgeklärt werden." – „Na, und wie hast du das gemacht?" – „Ach, ich kam so in Verlegenheit, da habe ich ihm eine runtergehauen."

genüber anzulernen und zu erziehen, sie systematisch auf den
20 Holzweg zu führen.

Dieses Verbrechen ist in den letzten hundert Jahren bei uns allgemein in Schule und Haus begangen worden. Und aus welchem
Grunde wurde dieses Verbrechen begangen? Aus Furcht, dass
ernste Gespräche über Erotik und Sexualität der heranwachsen-
25 den Jugend Schaden zufügen könnten.

Diese Befürchtung ist das Ergebnis einer großen Selbsttäu-
schung. Die Eltern vermieden solche Gespräche nicht etwa, wie
sie sich einredeten, aus Furcht, ihren Kindern damit zu schaden,
sondern weil sie selber unter sich über erotische Fragen nicht
30 sprechen konnten, weil sie ernst darüber zu sprechen nicht gelernt hatten. [...]

Frank Wedekind: Werke in drei Bänden. Prosa, hrsg. von Manfred Hahn. Aufbau-
Verlag, Berlin und Weimar 1969, S. 233–237. Ausschnitte.

4 Sigmund Freud: Zur sexuellen Aufklärung der Kinder (1906)

Offener Brief an Dr. M. Fürst

Geehrter Herr Kollege!

Wenn Sie von mir eine Äußerung über die „sexuelle Aufklärung der Kinder" verlangen, so nehme ich an, dass Sie keine regelrechte und förmliche Abhandlung mit Berücksichtigung der ganzen, über Gebühr angewachsenen Literatur erwarten, son- 5 dern das selbständige Urteil eines einzelnen Arztes hören wollen, dem seine Berufstätigkeit besondere Anregung geboten hat, sich mit den sexuellen Problemen zu beschäftigen. [...]

Ich soll Ihnen also die Fragen beantworten, ob man den Kindern überhaupt Aufklärungen über die Tatsachen des Ge- 10 schlechtslebens geben darf, in welchem Alter dies geschehen kann und in welcher Weise. Nehmen Sie nun gleich zu Anfang mein Geständnis entgegen, dass ich eine Diskussion über den zweiten und dritten Punkt ganz begreiflich finde, dass es aber für meine Einsicht völlig unfassbar ist, wie der erste dieser Frage- 15 punkte ein Gegenstand von Meinungsverschiedenheit werden konnte. Was will man denn erreichen, wenn man den Kindern – oder sagen wir der Jugend – solche Aufklärungen über das menschliche Geschlechtsleben vorenthält? Fürchtet man, ihr Interesse für diese Dinge vorzeitig zu wecken, ehe es sich in ihnen 20 selbst regt? Hofft man, durch solche Verhehlung den Geschlechtstrieb überhaupt zurückzuhalten bis zur Zeit, da er in die ihm von der bürgerlichen Gesellschaftsordnung allein geöffneten Bahnen einlenken kann? Meint man, dass die Kinder für die Tatsachen und Rätsel des Geschlechtslebens kein Interesse oder kein Ver- 25 ständnis zeigten, wenn sie nicht von fremder Seite darauf hingewiesen würden? Hält man es für möglich, dass ihnen die Kenntnis, welche man ihnen versagt, nicht auf anderen Wegen zugeführt wird? Oder verfolgt man wirklich und ernsthaft die Absicht, dass sie späterhin alles Geschlechtliche als etwas Niedriges 30 und Verabscheuenswertes beurteilen mögen, von dem ihre Eltern und Erzieher sie so lange als möglich fernhalten wollten? [...]

Es ist gewiss nichts anderes als die gewohnte Prüderie und das eigene schlechte Gewissen in Sachen der Sexualität, was die Er-
35 wachsenen zur „Geheimtuerei" vor den Kindern veranlasst; aber möglicherweise wirkt da auch ein Stück theoretischer Unwissenheit mit, dem man durch die Aufklärung der Erwachsenen entgegentreten kann. Man meint nämlich, dass den Kindern der Geschlechtstrieb fehle und sich erst zur Pubertätszeit mit der Reife
40 der Geschlechtsorgane bei ihnen einstelle. Das ist ein grober, für die Kenntnis wie für die Praxis folgenschwerer Irrtum. Es ist so leicht, ihn durch die Beobachtung zu korrigieren, dass man sich verwundern muss, wie er überhaupt entstehen konnte. In Wahrheit bringt das Neugeborene Sexualität mit auf die Welt, gewisse
45 Sexualempfindungen begleiten seine Entwicklung durch die Säuglings- und Kinderzeiten, und die wenigsten Kinder dürften sexuellen Betätigungen und Empfindungen vor ihrer Pubertät entgehen. [...]
Die Pubertät leistet nichts anderes, als dass sie unter allen Lust
50 erzeugenden Zonen und Quellen den Genitalien das Primat verschafft und dadurch die Erotik in den Dienst der Fortpflanzungsfunktion zwingt, ein Prozess, der natürlich gewissen Hemmungen unterliegen kann und sich bei vielen Personen, den späteren Perversen und Neurotikern, nur in unvollkommener Weise vollzieht.
55 Anderseits ist das Kind der meisten psychischen Leistungen des Liebeslebens (der Zärtlichkeit, der Hingebung, der Eifersucht) lange vor erreichter Pubertät fähig, und oft genug stellt sich auch der Durchbruch dieser seelischen Zustände zu den körperlichen Empfindungen der Sexualerregung her, so dass das Kind über die
60 Zusammengehörigkeit der beiden nicht im Zweifel bleiben kann. Kurz gesagt, das Kind ist lange vor der Pubertät ein bis auf die Fortpflanzungsfähigkeit fertiges Liebeswesen, und man darf es aussprechen, dass man ihm mit jener „Geheimtuerei" nur die Fähigkeit zur intellektuellen Bewältigung solcher Leistungen vor-
65 enthält, für die es psychisch vorbereitet und somatisch eingestellt ist.

Sigmund Freud: Drei Abhandlungen über Sexualtheorie. S.Fischer Verlag, Frankfurt/M. 1977, S. 113 ff.

5 Frank Wedekind: Es gibt keine Selbstlosigkeit (1881)

An Adolph Vögtlin

Lenzburg, IX. 1881

Lieber Freund!

[…] Der Mensch kommt mit mancherlei Gaben auf die Welt. Schon bei kleinen Kindern bemerkt man, dass das eine gerne, das andere ungern gibt, dass das eine barmherzig, das andere gefühllos ist. Niemand macht den Kindern daraus einen Vorwurf 5 oder ein Verdienst. Man sucht ihnen höchstens dies abzugewöhnen, jenes beizubringen. In vielen Fällen bleibt aber auch die Erfüllung dieser Pflicht aus und die Anlagen entwickeln sich ungestört. Bis jetzt sind die Kinder noch unverantwortlich. Bald treten sie aber als Glieder der Menschengesellschaft ins Leben hinaus 10 und da heißt es gleich: Der ist gut, jener schlecht; der freigebig, jener geizig. Die Schlechten und Geizigen werden zu Egoisten qualifiziert und der Hass und Fluch der Welt lastet auf ihnen. Fragen wir nun, welche glücklicher sind, die Gehassten oder die Geliebten? Ich denke doch, die Letzteren genießen ein schöneres Dasein. – Unwürdige Menschheit, wo bleibt dein Verstand? Einen Blindgeborenen bemitleidest du seines körperlichen Gebrechens wegen und den Geizhals verdammst du wegen eines geistigen! Ist das deine Barmherzigkeit, deine Nächstenliebe? – Jene Unglücklichen scheltet ihr Egoisten! – Seid ihr besser als sie, ihr 20 Heiligen unter den Menschen? – Lasst euch den Schafspelz ausklopfen und überall kommen die gleichen, egoistischen Wölfe heraus!! Nun wage mir noch einer, einen Stein zu werfen auf seinen armen Bruder, der unvollkommener als er auf die Welt gekommen ist, ich will ihm heimzünden. 25

Alter, vergib mir meine schulmeisterliche Begeisterung, aber sie spricht für meine Überzeugung. […]

Nun ade, Gruß an Pöldi etc.

Dein treuer Freund   Franklin Wedekind.

Der vermummte Herr. Frank Wedekinds Briefe aus den Jahren 1880–1917. Deutscher Taschenbuchverlag, München 1967, S. 8 ff.

IV Literarische Kontexte

1 Paul Heyse: Welch genialisches Streben

Welch genialisches
Streben, in Bildern
Rein animalisches
Leben zu schildern;
Da ja dem kräftigen
Dichter das Recht blieb,
Sich zu beschäftigen
Mit dem Geschlechtstrieb!

Wie der sein Wesen treibt
In freier Minne,
Oft auch zum Bösen treibt,
Perverse Sinne,
Längst in bewunderten
Dramen von heute
Zeigten's zu Hunderten
Erwachs'ne Leute.

Doch auch unmündigen
Kindern beizeiten
Soll jetzt das Sündigen
Freude bereiten.
Das noch so blöde Kind –
In dieser Richtung
Findet's Frank Wedekind
Schon reif zur Dichtung.

Was hochnotpeinlich ist,
Beklatscht man gerne.
Und wer zu reinlich ist,
Der bleib uns ferne!
Der ist der Beste nicht,
Des schwacher Magen
Kleine Inzeste nicht
Gut kann vertragen.

Altväterzüchtigkeit
Ward längst zur Sage,
Und ihre Nichtigkeit
Kam nun zutage.
Drum soll die Jugend sich
Früh schon bequemen,
Schamhafter Tugend sich
Gründlich zu schämen.

Alles Lebendige
Entsteht durch Zeugung.
Das Unanständige
Ist uns're Neigung.
Das Unbeschreibliche,
Hier wird's getan;
Das Ewigweibliche
Ist nur ein Wahn!

Das literarische Echo 9 (1907), Heft 13, Sp. 10201.

2 Alfred Kerr: „Faustulus und Gretelchen"

I

Ich finde hier bei Wedekind, wie immer, Abersinniges und (wenn seine Leitung stockt) Dilettantisches. Daneben fast shakespearische Verknüpftheit mit dem deutschen Gretchendichter.

Gymnasiasten und vierzehnjährige Schulmädel erfahren, was jener Doktor Faust mit jenem Bürgerkind erfuhr. Was in allen Fäl- 5 len derselbe Fall ist. Ein schwerer Hauch schwebt über dem Werk eines Leichtsinnigen, Torkelnden, Schludernden; ein Hauch, der die Grundmauer des Daseins anweht.

Faustulus und Gretelchen. Ja, es sind kleine Faustusse der Pubertät, die hier erobern und schuldig werden und dennoch 10 schuldlos untergehn. Oder sich still beiseite bringen, vor den Kopf gehaun von dem großen Rätsel des Geschlechtlichen. Oder quickvergnügt weiterleben, bis sie achtzig Jahre sein werden.

II

Wundervoll, wie in die Mannesregungen dieser Buben das Geistige verflochten ist; Fragen, die kein Achtziger mit besserer Klug- 15 heit stellen kann. Bei Geschöpfen, denen die Schularbeit, Mittelamerika, Ludwig der Fünfzehnte, der deutsche Aufsatz zwischendurch immer peitschend im Rücken sitzt.

Wundervoll: wie der Faustulus, der über sein Gretelchen auf dem Heuschober herfällt, noch in diesem Augenblick, frei von Be- 20 rechnung, dem Mädel zuraunt: Es gebe gar keine Liebe, er wisse, dass alles doch Selbstsucht sei. „Ich liebe dich so wenig, wie du mich liebst." Die Vierzehnjährige erwidert hierauf... was die Gretelchen zu erwidern pflegen: „– – Nicht! – – Nicht, Melchior!"

Alfred Kerr: Die Welt im Drama. Hrsg. von Gerhard F. Hernig. Verlag Kiepenheuer & Witsch, Köln/Berlin 1964, S. 238 f.

3 Johann Wolfgang von Goethe: Faust I – „Meine Ruh ist hin"

Gretchens Stube
Gretchen am Spinnrade, allein.

Meine Ruh ist hin,
Mein Herz ist schwer;
Ich finde sie nimmer
Und nimmermehr.

Wo ich ihn nicht hab,
Ist mir das Grab,
Die ganze Welt
Ist mir vergällt.

Mein armer Kopf
Ist mir verrückt,
Mein armer Sinn
Ist mir zerstückt.

Meine Ruh ist hin,
Mein Herz ist schwer;
Ich finde sie nimmer
Und nimmermehr.

Nach ihm nur schau ich
Zum Fenster hinaus,
Nach ihm nur geh ich
Aus dem Haus.

Sein hoher Gang,
Sein edle Gestalt,
Seines Mundes Lächeln,
Seiner Augen Gewalt

Und seiner Rede
Zauberfluss.
Sein Händedruck
Und ach, sein Kuss!

Meine Ruh ist hin,
Mein Herz ist schwer,
Ich finde sie nimmer
Und nimmermehr.

Mein Busen drängt
Sich nach ihm hin.
Ach dürft ich fassen
Und halten ihn

Und küssen ihn,
So wie ich wollt,
An seinen Küssen
Vergehen sollt!

Johann Wolfgang von Goethe: Faust, Teil I. Hamburger Ausgabe, Band III. C. H. Beck, München 1976, Ausschnitt.

4 Johann Wolfgang von Goethe: Faust I – Trüber Tag – Feld

FAUST. MEPHISTOPHELES.

FAUST: Im Elend! Verzweifelnd! Erbärmlich auf der Erde lange verirrt und nun gefangen! Als Missetäterin im Kerker zu entsetzlichen Qualen eingesperrt das holde unselige Geschöpf! Bis dahin! dahin! – Verräterischer, nichtswürdiger Geist, und das hast du mir verheimlicht! – Steh nur, steh! Wälze die teuflischen Augen in- 5 grimmend im Kopf herum! Steh und trutze mir durch deine unerträgliche Gegenwart! Gefangen! Im unwiederbringlichen Elend! Bösen Geistern übergeben und der richtenden gefühllosen Menschheit! Und mich wiegst du indes in abgeschmackten Zerstreuungen, verbirgst mir ihren wachsenden Jammer und läs- 10 sest sie hülflos verderben!
MEPHISTOPHELES: Sie ist die Erste nicht.
FAUST: Hund! abscheuliches Untier! – Wandle ihn, du unendlicher Geist! wandle den Wurm wieder in seine Hundsgestalt, wie er sich oft nächtlicher Weile gefiel, vor mir herzutrotten, dem 15 harmlosen Wandrer vor die Füße zu kollern und sich dem Niederstürzenden auf die Schultern zu hängen. Wandl' ihn wieder in seine Lieblingsbildung, dass er vor mir im Sand auf dem Bauch krieche, ich ihn mit Füßen trete, den Verworfnen! – Die Erste nicht! – Jammer! Jammer! von keiner Menschenseele zu fassen, 20 dass mehr als ein Geschöpf in die Tiefe dieses Elendes versank, dass nicht das Erste genug tat für die Schuld aller Übrigen in seiner windenden Todesnot vor den Augen des ewig Verzeihenden! Mir wühlt es Mark und Leben durch, das Elend dieser Einzigen; du grinsest gelassen über das Schicksal von Tausenden hin! 25
MEPHISTOPHELES: Nun sind wir schon wieder an der Grenze unseres Witzes, da wo euch Menschen der Sinn überschnappt. Warum machst du Gemeinschaft mit uns, wenn du sie nicht durchführen kannst? Willst fliegen und bist vorm Schwindel nicht sicher? Drangen wir uns dir auf oder du dich uns? 30
FAUST: Fletsche deine gefräßigen Zähne mir nicht so entgegen! Mir ekelt's! – Großer herrlicher Geist, der du mir zu erscheinen würdigtest, der du mein Herz kennest und meine Seele, warum an

den Schandgesellen mich schmieden, der sich am Schaden wei-
35 det und am Verderben sich letzt?
MEPHISTOPHELES: Endigst du?
FAUST: Rette sie! oder weh dir! Den grässlichsten Fluch über dich
auf Jahrtausende!
MEPHISTOPHELES: Ich kann die Bande des Rächers nicht lösen,
40 seine Riegel nicht öffnen. – Rette sie! – Wer war's, der sie ins Ver-
derben stürzte? Ich oder du?
FAUST *blickt wild umher.*
MEPHISTOPHELES: Greifst du nach dem Donner? Wohl, dass er
euch elenden Sterblichen nicht gegeben ward! Den unschuldig
45 Entgegnenden zu zerschmettern, das ist so Tyrannenart, sich in
Verlegenheiten Luft zu machen.
FAUST: Bringe mich hin! Sie soll frei sein!
MEPHISTOPHELES: Und die Gefahr, der du dich aussetzest?
Wisse, noch liegt auf der Stadt Blutschuld von deiner Hand. Über
50 des Erschlagenen Stätte schweben rächende Geister und lauern
auf den wiederkehrenden Mörder.
FAUST: Noch das von dir? Mord und Tod einer Welt über dich Ungeheuer! Führe mich hin, sag ich, und befrei sie!
MEPHISTOPHELES: Ich führe dich, und was ich tun kann, höre!
55 Habe ich alle Macht im Himmel und auf Erden? Des Türners Sinne
will ich umnebeln, bemächtige dich der Schlüssel und führe sie
heraus mit Menschenhand! Ich wache! die Zauberpferde sind bereit, ich entführe euch. Das vermag ich.
FAUST: Auf und davon!

*Johann Wolfgang von Goethe: Faust, Teil I. Hamburger Ausgabe, Band III. C. H.
Beck, München 1976, Ausschnitt.*

5 Siegfried Jacobsohn: Eine lyrische Tragödie (1906)

Denn das ist die Besonderheit dieser grausamen Tragödie: dass
Kinder, ohne Verschulden ihrer Seele, ohne pathetische Leiden-
schaften, ohne Herzenskonflikte, einzig durch ihr Da-Sein, ihr
Werden, ihre körperliche Entwicklung um Glück und Leben kommen. Ehe sie das tiefe Geheimnis gelichtet haben, auf welche 5
Weise sie in diesen Strudel hineingeraten sind, hat sie der Strudel
schon verschlungen.

Das ist die Idee von „Frühlings Erwachen". Sie müsste am
leichtesten gerade dann zu entdecken sein, wenn sie den künstle-
rischen Körper nicht gewonnen hätte, den man um sie vermisst. 10
Dieses Drama soll gewollt, aber nicht gekonnt, geredet und nicht
gestaltet sein. Da ist es immerhin merkwürdig, warum Wedekind
nicht auch jene seine besondere Idee so deutlich ausgesprochen
hat, dass sie mehr als zwei seiner Kritiker hätten nachsprechen
können. Die Mehrzahl hat die pädagogische Bedeutsamkeit der 15
Arbeit ungebührlich in den Vordergrund gerückt. Tatsächlich ist
sie heute für uns Nebensache. Gewiss beklagt Wedekind, dass
sich auch auf dem Gebiet der Sexualaufklärung Gesetz und Rechte wie eine ewige Krankheit forterben. Wenn er Frau Bergmann
vor ihrer Wendla stöhnen lässt: „Ich habe an dir nicht anders 20
getan, als meine liebe gute Mutter an mir getan hat", so sagt er
damit den Eltern: Gehet hin und tuet nicht desgleichen! Aber er
sagt es ganz unauffällig, er predigt es nicht. Er gestaltet, gestaltet
so sicher und mühelos, wie er niemals wieder gestaltet hat.

[...] so wenig vermag ich an der Form zu zweifeln, in die Melchi 25
und Moritz ihre Hochgespräche kleiden, oder gar an dem Inhalt
dieser Gespräche. Diejenigen Kritiker, die heftig beschworen, in
ihrer Jugend anders gedacht und anders gesprochen zu haben,
durften ihren Eifer sparen: wer auch nur eine ihrer Kritiken gelesen hat, glaubts ihnen ohne Schwur. Melchi und Moritz sind ja 30
Ausnahmeschüler. Melchi ist der Erste, Moritz der Letzte in der
Klasse; beide sind also etwa gleich begabt. Worüber sie sprechen,
ist genau das, was den selbständigen Köpfen ihres Alters zum
Problem wird. Wie sie sprechen, macht so sehr die Musik dieses
Werkes aus, dass ich kein Wort anders wünschte. Himmelhoch 35
jauchzend, zu Tode betrübt. [...]

Wer die Vielheit und Knappheit dieser Szenen rügt, hätte vermutlich auch den jungen Goethe hart angelassen: „Trüber Tag. Feld"
wäre ihm als Unding, die folgende Szene von sechs Zeilen als
40 Verbrechen erschienen. Der innere Zusammenhang entscheidet,
und der ist hier lückenlos gewahrt. Nicht genug: Es gibt gar keine
Technik, die der Darstellung jener Zeit des Vibrierens und Träu-
mens, des Aufschreckens und Erzitterns, des Knospens und Auf-
springens besser taugte als diese. Ein allgemein gültiges tragi-
45 sches Weltbild hat seinen spezifischen dramatischen Ausdruck
gefunden. [...]

Siegfried Jacobsohn: Max Reinhardt. Erich Reiß Verlag, Berlin 1910, S. 35 – 40.

6 Hermann Kienzl: Tragikomödie?

Dämonen! Die Dämonen des Frühlings hat Wedekind gerufen.
Der unheimliche Rattenfänger. Das Räsonnieren überlässt Wedekind uns andern, die wir zu seinem Spiel den Brummbass geigen.
Er bläst seine Pfeife. Das wunderlichste Instrument. Jetzt klingt es
5 orphisch. Die Schleier fallen vom Geheimsten. Das Zarteste
dringt uns zu Sinnen. Wir verstehen die Sprache der Nachtigall,
von der die Dichter allerlei munkelten, wir verstehen die wehes-
ten Gedanken des Kindes, die kein Kindermund verrät. Jetzt
quietscht es zum Totlachen – just vor kleinen Särgen. Tragikomö-
10 die? Das Tragische, so rein und heilig angefasst, wird komisch,
weil die Menschen so niederträchtig sind, dass es komisch
scheint, Menschliches tragisch zu nehmen; das Komische wird
tragisch, weil es so unendlich traurig ist, wie komisch die Menschen sind. Tragi-Ironie? Echteste Tragik, die zur Ironie führt. In
15 Wedekinds Wesen vollzieht sich der Prozess. Es nützt nichts, darüber zu klagen, dass er nicht anders ist; dass der einheitliche
ästhetische Ausklang ermangelt. Aber eben das: dass er ist, wie
er ist, dass er sich nicht anders zeigt, das gibt ihm spezifisches
Gewicht. Denn er darf er selbst sein. Was bei jedem andern stili-
20 siert wäre, ist hier unverkennbare Eigenart. Andere dramatische
Dichtungen Wedekinds mochten den, der „Frühlings Erwachen"
nicht kannte, zweifeln lassen. Auch ich gehörte zu denen, die

nichts wussten. Die Kindertragödie ist Zeuge auch für die andern
Wedekinder. Denn in der Kindertragödie schuf ein Einzelner, ein
Andersgearteter, ein Neulandfinder seine absolute Wesensprä- 25
gung. Wedekind – nur mutig herausgesagt! – Wedekind ist ein
Genie. Mit aller blinden, ärgerlichen Rücksichtslosigkeit des Ge-
nies. [...]

Dieses Lied der Menschheit trägt der Dichter nicht im hohen,
geschlossenen Stil vor. Er bläst die Rattenfängerpfeife. Immer 30
wieder freilich hören sich die Töne wie das Brausen einer Riesen-
orgel. Dann wie das Geräusch des Hackbretts, das die Melodie
zerfetzt. Das ist Wedekinds Art. Die dramatische Form liegt in
Trümmern. Alle Stile raufen miteinander; und doch gibt auch das
eine Art Stil: den bunten des Lebens, das geheimer Einheit nicht 35
enträt. Handlungen und Szenen in wirrer Folge. Aber alle fließen
zusammen in den Frühlingsstrom.

Wer hätte Sturm und Drang, wenn nicht der wilde Frühling?!
Wedekind war jung, als er das Drama schrieb – ganz „Stürmer
und Dränger". 40

*Hermann Kienzl: Die Bühne ein Echo der Zeit (1905–1907). Concordia Deutsche
Verlags-Anstalt, Berlin 1907, S. 287 ff.*

V „Frühlings Erwachen" auf der Bühne – Tendenzstück oder lyrische Tragödie?

1 Lion Feuchtwanger: Kontraste

[...] Was das Werk jenseits der kühnen Stoffwahl mit den Stücken des späteren Wedekind gemein hat, ist der Mut, mit welchem der Dichter seine poetischen Szenen kontrastiert mit solchen giftig grünen Hohnes. Das Antithetische, der Grundzug Wedekinds, ist
5 schon in diesem Frühwerk sein wesentliches Kunstmittel. Von den zart gezeichneten Porträts der Kinder stechen grell ab die puppenhaft giftigen Karikaturen der meisten Erwachsenen, der Lehrer vor allem. Hier schon, wie später häufig, verzerrt der Dichter die Figur des Vaters, seines Vaters, ins Fratzenhafte.
10 Die tragikomische Kühnheit der Beerdigungsszene ist ohne Vorbild. Und großartig schießen das Derbe und das Zarte zusammen in dem Schlussbild auf dem Kirchhof. Hier, wenn Wedekind, als Chorus und Vermummter Herr, dem toten Moritz Stiefel, dem Gespenst, den jungen Melchior Gabor entreißt, gibt er ein wun-
15 derbares Beispiel dessen, was er als gestaltete Moral anstrebt, als Parabel auf der Bühne. Diese Szene ist die ideale Erfüllung des Lehrstücks. Die uralte, primitive Lehre, dass auch das kümmerlichste Leben besser ist als der Tod, wird verkündet auf völlig neue Art, in den Klängen einer hellen, schneidenden, zynisch
20 großartigen Symphonie. In ihr, mit ihr wird der junge Geschlagene, Unglückliche dem Leben wiedergewonnen und der Tote in sein Grab zurückgescheucht, wo er sich an der Verwesung wärmen mag.

aus: Neue Deutsche Literatur 12, Heft 7/1964, S. 17.

2   Eine Inszenierung ohne Humor

An Fritz Basil

Berlin, 3. I. 1907

Lieber verehrter Freund!

Zuerst meinen Dank dafür, dass du ‚Frühlings Erwachen' auf der
Bühne bringen willst. Ich habe eben das Personenverzeichnis an
Ruederer geschickt und werde morgen für Absendung des Souff-
lierbuches sorgen.   5

   Darf ich nur auf etwas von vornherein hinweisen. Ich wurde
hier in Berlin erst zur 10. Probe zugelassen und fand da eine leib-
haftige wirkliche Tragödie mit den höchsten dramatischen Tönen
vor, in der der Humor gänzlich fehlte. Ich tat dann mein Möglichs-
tes, um den Humor zur Geltung zu bringen, ganz besonders in der   10
Figur der Wendla, in allen Szenen mit ihrer Mutter, auch in der
Letzten, das Intellektuelle, das Spielerische zu heben und das Lei-
denschaftliche zu dämpfen, auch in der Schlussszene auf dem
Kirchhof. Ich glaube, dass das Stück umso ergreifender wirkt, je
harmloser, je sonniger, je lachender es gespielt wird. So vor allem   15
der Monolog von Moritz, Schluss vom 2. Akt, den ich bis auf den
Schluss durchaus lustig sprechen ließ. Ich glaube, dass das Stück,
wenn die Tragik und Leidenschaftlichkeit betont wird, leicht *abstoßend* wirken kann.

   Du verzeihst mir, lieber Freund, dass ich dir diese Bemerkungen   20
als Ergebnis der hiesigen Einstudierung mitteile. Ich bin sonst
ganz sicher, dich auf der Seite des Lustigen, Witzigen gegenüber
dem Humorlosen zu wissen. Aber dann wären sicher Leute gekommen, die dir vorgeworfen hätten, du hättest mich missverstanden.   25

   Mit den herzlichsten Grüßen an dich und alle unsere Freunde
und Freundinnen bin ich dein dankbarer Schüler

Frank Wedekind

*Frank Wedekind: Werke in drei Bänden. Prosa. Aufbau-Verlag, Berlin und Weimar
1969, S. 580 f.*

FRÜHLINGS ERWACHEN

Berlin 1906
Regie: Max Reinhardt
Bühnenbild: Karl Walser

Camilla Eibenschütz als Wendla

Alexander Moissi als Moritz

Bernhard von Jacobi als Melchior

3 Paul Goldmann: „Als dramatisches Werk völlig unzureichend" (1906)

Aus einer solchen Anzahl unzusammenhängender Szenen setzt sich Frank Wedekinds Kindertragödie ‚Frühlings Erwachen' zusammen. Vor zehn, fünfzehn Jahren, ehe noch die ‚neue Richtung' ihre Segnungen verbreitete, hätte jeder Theaterleiter die Zumutung, ein solches Werk zur Aufführung zu bringen, mit 5 Hohngelächter zurückgewiesen.

Man kann sich nichts Bühnenunmöglicheres denken. Das Stück besteht aus neunzehn Szenen, von denen jede auf einem besonderen Schauplatz sich abspielt. Nicht einmal die einzelnen Szenen sind dramatisch gebaut. Zumeist sind sie nichts als Ge- 10 spräche. [...]

‚Frühlings Erwachen' ist also als dramatisches Werk völlig unzureichend. Das Stück genügt nicht einmal primitiven dramatischen Anforderungen. Dasselbe gilt freilich auch von den meisten anderen dramatischen Werken Frank Wedekinds. Es ist nun 15 eine der seltsamsten Verirrungen der literarischen Kreise, dass sie als bedeutende Dramatiker einen Autor verehren, der niemals noch ein wirkliches Drama zustande gebracht hat. [...]

So stellt sich, im Spiegel von Frank Wedekinds Dichterseele gesehen, das Erwachen des Menschenfrühlings dar. Er wollte schil- 20 dern, wie die heranwachsende Jugend die ersten Regungen der großen Naturkraft empfindet – und herausgekommen ist eine Vorführung aller nur erdenklichen Jugendsünden, eine dramatisierte Psychopathia sexualis des Kindesalters. Für Frank Wedekind ist Frühlings Erwachen nichts als Buhlschaft, Selbstbe- 25 fleckung, Knabenliebe, Sadismus, – für ihn ist Frühlings Erwachen das Erwachen des Kindes zur Perversität. Und das ist nun der Inhalt eines Werkes, dessen Poesie bewundert, ja dessen Keuschheit sogar gerühmt wird! Durfte das Stück schon seiner dramatischen Unmöglichkeit wegen nicht aufgeführt werden, so musste 30 es tausendmal mehr noch seines Inhaltes wegen von der Bühne ausgeschlossen bleiben. Ist das Publikum so eingeschüchtert durch den Terrorismus einer dreisten und lärmenden Clique, dass es sich widerspruchslos eine solche Aufführung bieten lässt? Oder ist wirklich – was man doch kaum glauben kann – durch den 35

modernen Theatertrieb der Geschmack so in die Irre geleitet, das
Gefühl so abgestumpft, dass niemand empfindet, wie abstoßend
diese fortwährenden Perversitätsschauspiele sind, – dass niemand empfindet, wie über alle Maßen widerwärtig, wie peinlich,
40 wie unerträglich es ist, wenn auf der Bühne nun gar perverse
Kinder zur Schau gestellt werden?
   Frank Wedekinds Darstellung ist nicht nur abstoßend, sie ist
auch unwahr. Gewiss, die Kinder können nicht lediglich als die
goldigen Englein betrachtet werden, als die sie in den Weih-
45 nachtsbüchern erscheinen. Gewiss, die Kinder tragen als wer-
dende Menschen in sich bereits die Keime von allem, was nun
einmal in der menschlichen Natur sich findet, auch die Keime von
Ausschweifung und Perversität. Nur ist die Perversität, die doch
glücklicherweise bei den Erwachsenen nicht die Regel bildet (was
50 man allerdings bezweifeln könnte, wenn man seine Menschenkenntnis lediglich aus gewissen modernen Stücken bezöge), eine
Ausnahme, eine Abnormität auch bei den Kindern. [...]

*Paul Goldmann: Vom Rückgang der deutschen Bühne. Polemische Aufsätze über
Berliner Theater-Aufführungen. Rütten & Loening, Frankfurt/M., S. 113 ff.*

*In der Berliner Inszenierung der Freien Volksbühne, 1966, von Peter Zadek trägt
Moritz (Bruno Ganz) seinen Kopf als Attrappe mit sich herum.*

4 Ernst Wendt/Henning Rischbieter: Der ästhetische Realismus

Minks und Zadek haben mit einem so kühnen wie einfachen Einfall die Trennung von Bühne und Zuschauerraum zugleich aufgehoben und radikal bewusst gemacht: sie lassen den Zuschauerraum während der ganzen Aufführung hell beleuchtet. Sie tun
5 das nicht, um den Zuschauer einzubeziehen ins Spiel, sondern um ihn zu schärferer Beobachtung zu zwingen. Sie verweigern nicht nur den Schauspielern jene Dunkelheit, in der sich's leicht mogeln lässt, sondern auch dem Zuschauer den wohligen Dämmer, in den er sich so gern wegsinken lässt. Er ist hier nicht mehr
10 durch illusionistische Mittel – durch den Wechsel des Lichts – von den im Spiel ausgestellten Vorgängen getrennt; vielmehr ist zwischen ihm und der Bühne nun einzig und allein eine „reale" Grenze – die Rampe. Auf sie wird er mit äußerster Nachdrücklichkeit verwiesen; jenseits beginnt der formalisierte, für das Spiel zu-
15 gerüstete Raum. Davor sitzen Zuschauer. Es ist ein Theater. Das ist so selbstverständlich, dass wieder darauf aufmerksam gemacht werden muss.

[...] Die Entleerung der Bühne geschieht hier nicht beliebig, sie folgt der Erkenntnis, dass ein Raum, je leerer er ist, desto stren-
20 ger gegliedert werden muss.

So erfüllt sich das scheinbar Paradoxe: geometrisch ausgemessener Sachlichkeit und genau geführten, nie ausschweifenden Bewegungen und Gruppierungen kommt auf dieser formalisierten Szene, deren Leere und Monochromie von wenigen Re-
25 quisiten und Farben nur sparsam durchbrochen sind, ganz ungeahnte Sinnlichkeit zu. Das Ästhetische fördert das Realistische, die nach formalen Prinzipien „geplante" Bühne wird mit Wirklichkeit aufgefüllt. Und das Stück kommt „zu sich". Es wird keinerlei Veränderung unterworfen, sondern gelassen so präsen-
30 tiert, wie man es im Textbuch gelesen hat, Wort für Wort. Die Delikatesse der „Tableaus", die ausgewogene Schönheit des Bühnenraums, die ästhetischen Valeurs der Wände und der Beleuchtung transportieren die Zartheit der Empfindungen, die in diesem Stück von jungen Menschen artikuliert werden. Weil alles
35 Naturalistische sowohl wie alles Stilisierte von dieser Szene ver-

bannt ist, kann sich Natürlichkeit entfalten, Leichtigkeit, Jugend-
lichkeit. Junge Menschen reden über ihre pubertären Bedrückun-
gen, ohne dass da schwüles Kolorit im Wege wäre und Peinlich-
keit sich einstellte. Jugend, die ihrer Geschlechtlichkeit zugleich
ängstlich und unverkrampft naiv bewusst wird, stellt sich dar; 40
und Minks' Bühne fängt ihre wirren und verletzlichen und unaus-
gereiften Gefühle in Form auf, löst die Stockungen und Ver-
schämtheiten zu knabenhafter Grazie und doch so sinnlicher
Nachdrücklichkeit. Sie gibt dem allem einen Spiel-Raum, in dem
es sich objektivieren kann. 45

Weite anstelle von Stickigkeit, Klarheit anstelle von dumpfer
Bedrückung, Schönheit anstelle von enger Kleinlichkeit. Jugend-
liches Erwachen wird mit ästhetischen Mitteln gefeiert, die Kindertragödie bleibt „hell" bis zum Schluss.

„Peter Zadeks Inszenierung nimmt die Herausforderung der 50
leer geräumten, hell beleuchteten Bühne an. Wedekinds Text, ein
dreiviertel Jahrhundert alt, bewährt sich glorios. Die Prüderien,
Konventionalitäten, grotesken Verkalkungen der Erwachsenen erscheinen, wie sie schon Wedekind erschienen: beschränkt und in
der Beschränkung lächerlich. Obwohl Zadek auch den Eltern, 55
Lehrern, den ,Erziehern' realistische Grundierung gibt. Die Pau-
kerkonferenz steigert sich im Verlauf der Szene erst ins Groteske,
der Höhepunkt der komischen Wirkung ist erreicht, wenn am
Schluss (eine Hinzufügung Zadeks) die Lehrer Melchior Gabors
Verweisung von der Anstalt unterschreiben und ihre Namen ak- 60
zentuieren: Sonnenstich, Zungenschlag, Affenschmalz. Jeder
von ihnen hat seinen eigenen Sprach- und Bewegungstick. Aus
winzigen Chargen sind scharf geschnittene Menschenzerrbilder
geworden. [...]

Auf die Kinder ist alles konzentriert. Ihre Welt wird dargestellt. 65
Auch hier (was ich so konsequent in anderen Aufführungen des
Werkes noch nicht gesehen habe) besticht die realistische Grun-
dierung: Jugendalberei, Katzbalgereien, ein ganzer Klumpen von
Jungen um ein altes Fahrrad gedrängt.

Die drei Mädchen kichern hemmungslos in sich hinein, wenn 70
Melchior Gabor vorübergeht. Selbst auf dem Friedhof, am offenen Grabe Moritzens, albert die Klasse und löckt lausebengelhaft
gegen die Schuldisziplin. Die altklugen Reden von Melchior

(Vadim Glowna) und Moritz (Bruno Ganz) haben so einen Fond,
75 der sie davor bewahrt, nur papieren zu erscheinen. Melchiors La-
bilität wird dargestellt, indem er immer wieder im Gespräch mit
dem besonneneren Freund in Verspieltheit, etwa läppische, lei-
ernde Wiederholung, verfällt. Auch noch in den Monologen vorm
Selbstmord grimassiert er bubenhaft, feixt wie ein Rüpel. Da
80 diese kindhaften Knaben auch noch wie junge Hunde sein können, begibt sich ein großer Teil des Spiels auf dem nackten Bret-
terboden der Bühne, wo sie sich hinschmeißen, fläzen, strecken,
wälzen. Da wirft sich auch Melchior auf Wendla (nur ihr Auftritt
durch eine Klappe im Bühnenboden deutet an, dass sich die
85 Szene auf dem Heuboden abspielt), da hat Wendla vorher, in der
Waldszene, bäuchlings gelegen und, die Zunge in den Mundwin-
keln spielen lassend, ihre Unterschenkel geschwenkt und Melchi-
or zu den Schlägen mit der Gerte verführt. Das Pendant dazu: der
Auftritt der Ilse, des Künstlerliebchens. Sie erscheint, im zerrauf-
90 ten weißen Kleid, mit einer Maske auf dem Gesicht, einer grin-
senden, pappenen, wie ein Bote aus einer andern Welt, ein Lot-
terengel. Später wälzt auch sie sich am Boden, spreizt die Beine.
Aber Moritz lässt sich nicht verführen. Ihn lockt der Todestrieb.

Zadek lässt das Stück fast ungekürzt spielen, nur eine kurze
95 Wendla-Szene und Ilses melodramatischer Auftritt am Grab fallen
weg. Er braucht keine der heiklen Szenen zu unterschlagen. Hänschen Rilows Abort ist als Holzkasten mit geöffnetem Deckel
neben dem Foto der Tushingham[1] zu sehen, er vollzieht seine er-
regte Andacht vor den Abbildungen nackter Frauen in einem ko-
100 misch-pathetischen Tonfall, den fiebrige Exaltation[2] durchzittert.
(Wolfgang Giese, der Darsteller des heiklen Bildes, erhielt in der
Premiere Szenenapplaus.) Hänschen ist sonst als ein glatter, nym-
phenhafter Schlingel gegeben. In der homoerotischen Szene im
Weinberg umgirrt er wie ein Schlänglein den massiven Ernst
105 Röbel (den Hans Peter Hallwachs als komische Vorahnung des
späteren Erwachsenen mit tiefen, falsch-seriösen Tönen spielt).
Selbst die Masturbation um die Wette in der Korrektionsanstalt
wird nicht weggelassen, wenn auch nur eben angedeutet.

---

1 Rita Tushingham, brit. Schauspielerin
2 Überschwänglichkeit

Die Aufführung hat, wenn man so will, drei Ebenen: erstens die demonstrativ eingerichtete helle Bühne, zweitens das durchaus sinnliche, tollende, alberne, sich wälzende Spiel, drittens den Dialog, der, nicht sehr nuanciert, von den Kindern mit einer Art von zitierender Natürlichkeit gesprochen wird. [...] 110

Die poetische Größe des Stückes, auch das lehrt diese Aufführung, kulminiert in der Schlussszene. Sie öffnet den Blick aus dem pubertären Dunstkreis. Die Objektivation[3], die Wedekind in jeder Szene mühelos erreicht, findet hier ihre formale Krönung, indem das bloß Wahrscheinliche überstiegen wird. Dieser Vorgang lässt sich auf Minksens heller Bühne wunderbar darstellen. 115

Kein Friedhofsschummer, keine Grabsteine, keine faulen Bühnentricks, um Moritz Stiefel mit dem Kopf unter dem Arm erscheinen zu lassen. Nur eine Luke im Bühnenboden, da erscheint Moritzens Hand und stellt einen Kopf, einer Friseurschaufensterattrappe ähnlich, auf die Bretter. Dann erscheint der ganze Moritz, nimmt den Pappkopf unter den Arm, spaziert über die Bühne, sitzt schließlich, bei den Schlussworten, hart an der Rampe, auf dem Kopf. Die schöne Freiheit der Szene tritt in Erscheinung. Der vermummte Herr tritt im tadellosen Frack mit Umhang auf, er trägt keine Larve, birgt nur anfangs das Gesicht ein wenig hinter dem weißen Seidenschal. Zadek hat hier im Text kräftig gestrichen, Munkeleien fallen weg. Der Herr im Frack (Kurt Hübner) ist eindeutig: das weltoffene Leben. Melchior Gabor geht mit ihm. 120 125 130

Wenn er vorher mehrmals die Hand des toten Moritz ausschlug, so lässt Zadek die beiden dabei noch einmal knäbische Finten vollführen. Aus selbstvergessener Alberei ist jetzt bewusste Erinnerung geworden: heiteres Darüberstehen." 135

aus: Theater heute 1965, Heft 6, S. 8–11.

---

3 Vergegenständlichung

5 Wedekinds Kindertragödie bekommt am Thalia Theater neue Impulse

Thalia Theater, Hamburg 2001. Eine Inszenierung von Tilmann Gersch; v.l.n.r.: Sylvia Schwarz (Thea), Leila Abdullah (Martha), Andreas Pietschmann (Melchior Gabor), Benjamin Utzerath (Otto), Björn Grundies (Ernst Röbel) und Hinnerk Schönemann (Moritz Stiefel).

Lebensdaten

Frank Wedekind: Erste Autobiografie (1901)

Geboren 24. VII. 1864 in Hannover.
Mein Vater, aus einer alten ostfriesischen Beamtenfamilie, war
ein viel gereister Mann. Er war Arzt und war als solcher zehn
Jahre lang im Dienste des Sultans in der Türkei gereist. 1847 kam
er nach Deutschland zurück und saß 1848 als Kondeputierter (Er- 5
satzmann) im Frankfurter Parlament. 1849 ging er nach San Fran-
zisko und lebte dort fünfzehn Jahre. Mit 46 Jahren heiratete er
eine junge Schauspielerin vom Deutschen Theater in San Fran-
zisko, die genau halb so alt war wie er selber. [...]
1864 kehrte mein Vater nach Deutschland zurück, lebte acht 10
Jahre in Hannover und kaufte 1872 das Schloss Lenzburg im Kan-
ton Aargau in der Schweiz, einen der schönsten Flecken Erde, die
ich je gesehen. Dort wuchs ich auf als zweitältester von sechs Ge-
schwistern, deren drittjüngstes meine Schwester Erika ist. Ich be-
suchte in Lenzburg die Bezirksschule und darauf das kantonale 15
Gymnasium in Aarau. 1883 machte ich mein Abiturium. Ich be-
schäftigte mich dann mehrere Jahre journalistisch als Mitarbeiter
der ‚Neuen Zürcher Zeitung' und anderer Schweizer Blätter. 1886
wurde in Kempthal bei Zürich das indes weltberühmt gewordene
Etablissement Maggi für Suppenwürze gegründet. Maggi enga- 20
gierte mich gleich bei der Gründung als Vorsteher seines Rekla-
me- und Pressbüros. In dieser Zeit verkehrte ich hauptsächlich
mit Karl Henckell, dem ich die Schätzung aller modernen Bestrebungen verdanke. Außerdem gehörten Gerhart Hauptmann und
Mackay zu unserem Kreis. Dann verkehrte in Zürich auch so ziem- 25
lich alles, was sich in der jungen Literatur hervortat oder hervor-
tun wollte.
1888 reiste ich ein halbes Jahr lang als Sekretär mit dem Zirkus
Herzog und ging nach dessen Auflösung mit meinem Freunde,
dem bekannten Feuermaler Rudinoff, nach Paris und begleitete 30
ihn als sein Mitarbeiter auf einer Tournee durch England und
Südfrankreich. 1890 kehrte ich mit Rudinoff nach München
zurück und schrieb dort mein erstes Buch: ‚Frühlings Erwachen'.
Dann ging ich, da mein Vater indessen gestorben war, nach Paris

Frank Wedekind 1864–1918

zurück und wurde dort schließlich Sekretär eines auch in Berlin bekannten dänischen Malers und Bilderhändlers namens Willy Grétor, in dessen Dienst ich auch ein halbes Jahr in London tätig war. Während meines Londoner Aufenthaltes machte ich durch Dauthendey zum ersten Male die Bekanntschaft der neuen deutschen symbolistischen Literatur, die damals eben im Aufblühen war. Den Winter 95 auf 96 verbrachte ich wieder in der Schweiz, und zwar unter dem Namen eines Rezitators Cornelius Mine-Haha. Als solcher rezitierte ich in Zürich und anderen Schweizer Städten Szenen aus Ibsen'schen Dramen. […]

In diese Zeit fällt auch der Plan einer Gründung eines reisenden literarischen Tingel-Tangels, den ich, wie ich Ihnen schon schrieb, damals mit Bierbaum und einigen jungen Damen erörterte.

Im Frühjahr 1896 reiste ich zur Gründung des ‚Simplicissimus' nach München, dessen politischer Mitarbeiter ich während zweier Jahre blieb. Im Herbst 1897 gründete Dr. Carl Heine sein Ibsen-Theater in Leipzig und engagierte mich als Sekretär, Schauspieler und Regisseur. Als Schauspieler führte ich bei ihm den Namen meines Großvaters Heinrich Kammerer. Wir bereisten ganz Norddeutschland und kehrten über Breslau und Wien im Hochsommer 98 nach Leipzig zurück. In Leipzig, Halle, Hamburg, Braunschweig und Breslau hatten wir auch den ‚Erdgeist' aufgeführt, in Leipzig erlebte das Stück zehn Wiederholungen. Da sich das Ensemble damals auflöste, ging ich nach München und wurde Dramaturg, Schauspieler und Regisseur am dortigen Schauspielhaus. Dann kam der Simplicissimusprozess, dessen sofortiger Erledigung ich nur deshalb auswich, um ein halbes Jahr Zeit und Ruhe zu einem Bühnenstück zu gewinnen. Ich stellte mich dem Richter, sobald ich das letzte Wort am ‚Marquis von Keith' geschrieben hatte. Auf der Festung Königstein schrieb ich den Roman ‚Mine-Haha'. Seit meiner Freilassung bin ich nur wenig mehr als Schauspieler auf- 75 getreten. [...] Augenblicklich singe ich hier allabendlich meine Gedichte nach eigenen Kompositionen bei den ‚Elf Scharfrichtern' zur Guitarre.

Frank Wedekind: Werke in drei Bänden. Prosa, hrsg. von Manfred Hahn. Aufbau-Verlag, Berlin und Weimar 1969, S. 332–331. Ausschnitt.

Leben und Werk

(Ergänzung zur ‚Autobiografie')

1895   Erfolglose Bemühungen um Aufführungen seiner Dramen. Im Verlag von Albert Langen erscheint ‚Der Erdgeist' (Neufassung des ersten Teils von ‚Die Büchse der Pandora'), Uraufführung 1898. Herbst in Lenzburg und Zürich. Auftreten als Rezitator vor allem Ibsen'scher Dramen unter dem Pseudonym Cornelius Mine-Haha. ‚Mine-Haha' begonnen (erste Fassung unveröffentlicht).

1896   Sommer in München. Mitarbeiter des ‚Simplicissimus' (gegründet April 1896). Beteiligung an Bestrebungen zur Gründung einer der Moderne verpflichteten Bühne in München.

1897   ‚Die Fürstin Russalka' (Prosa- und Lyriksammlung) erscheint bei Langen. ‚Der Kammersänger' (Erstausgabe und Uraufführung: 1899). Erste politische Gedichte unter dem Pseudonym Hieronymus Jobs im ‚Simplicissimus'.

1898   *25. Februar:* ‚Erdgeist'-Uraufführung durch die Litterarische Gesellschaft, Leipzig (Regie: Carl Heine; Wedekind spielt unter dem Pseudonym Heinrich Kammerer den Dr. Schön).

März–Juni: Tournee des ‚Ibsen-Theaters' (Leitung: Carl Heine) mit (u. a.) ‚Der Erdgeist', die Wedekind als Theatersekretär begleitet.

Ende Juni Engagement durch Georg Stollberg an das Münchner Schauspielhaus als Theatersekretär (Dramaturg), Regisseur und Schauspieler.

29. Oktober: Münchner Erstaufführung von ‚Der Erdgeist' mit Wedekind als Dr. Schön.

30. Oktober: Wegen drohender Verhaftung Flucht in die Schweiz. Wedekind wird als Autor des Gedichts ‚Palästinafahrt' im ‚Simplicissimus' wegen Majestätsbeleidigung unter Anklage gestellt. ‚Der Marquis von Keith' begonnen.

22. Dezember: In Paris.

1899	Nach Abschluss von ‚Der Marquis von Keith' stellt sich Wedekind im Juni den Behörden in Leipzig; Untersuchungshaft.
	3. August: Hauptverhandlung vor dem Reichsgericht, Verurteilung zu sieben Monaten Gefängnis; Begnadigung zu Festungshaft.
	21. September: Überführung auf die Festung Königstein. ‚Mine-Haha' (Neufassung).
1900	*3. März:* Haftentlassung.
1901	*13. April:* Eröffnungsvorstellung der ‚Elf Scharfrichter' in München. Wedekind tritt Ende April dem Ensemble bei, als Einziger ohne Pseudonym.
	Ab Herbst ‚So ist das Leben' (später ‚König Nicolo').
1902	*Juli:* Vorabdruck von ‚Die Büchse der Pandora' (Neufassung als Fortsetzung von ‚Der Erdgeist', erste Buchausgabe März 1904) in ‚Die Insel'.
	17. Dezember: Berliner Erstaufführung von ‚Der Erdgeist' im Kleinen Theater.
1903	‚Die große Liebe' (Roman) begonnen (nicht vollendet und unveröffentlicht). ‚Hidalla oder Sein und Haben' (später auch ‚Karl Hetmann, der Zwergriese').
1904	*1. Februar:* Uraufführung ‚Die Büchse der Pandora' im Intimen Theater, Nürnberg.
	23. März: Beschlagnahme der Erstausgabe von ‚Die Büchse der Pandora'.
1905	*29. Mai:* (Geschlossene) Erstaufführung von ‚Die Büchse der Pandora' durch Karl Kraus im Trianon-Theater, Wien, mit Tilly Newes als Lulu, Wedekind als Jack the Ripper.
1906	*1. Mai:* Eheschließung mit Mathilde (Tilly) Newes. Wohnsitz bis 1908 in Berlin.
	2. Mai: Uraufführung ‚Totentanz' im Intimen Theater, Nürnberg, mit Frank und Tilly Wedekind. Eine von Karl Kraus in Wien geplante Erstaufführung wird von der Zensur auch als geschlossene Vorstellung nicht zugelassen.
	Juli: Erster Wedekind-Zyklus (mit Frank und Tilly Wedekind in allen Hauptrollen) im Münchner Schauspielhaus.
	20. November: Uraufführung ‚Frühlings Erwachen' in den

Kammerspielen, Berlin, mit Alexander Moissi, Bernhard von Jacobi, Camilla Eibenschütz, Gertrud Eysoldt, Hedwig Wangel, Albert Steinrück und Frank Wedekind; Regie: Max Reinhardt.

12. Dezember: Geburt der Tochter Pamela.

1907 ‚Die Zensur' (Erstausgabe 1908 bei Bruno Cassirer, Berlin; Uraufführung 1909).

1908 *2. April:* Uraufführung ‚Die junge Welt' im Münchner Schauspielhaus. ‚Oaha' (später ‚Till Eulenspiegel'): Erstausgabe 1908.

September: Übersiedlung nach München.

1910 *November:* ‚Frühlings Erwachen' in Königsberg verboten.

1911 *23. Januar:* Uraufführung ‚Der Stein der Weisen' in der Kleinen Bühne, Wien.

6. August: Geburt der Tochter Kadidja.

‚Franziska': Erstausgabe 1912.

1912 *Februar:* Aufhebung des Königsberger Verbots von ‚Frühlings Erwachen' durch das Oberverwaltungsgericht in Berlin.

Juni: Erster Wedekind-Zyklus am Deutschen Theater, Berlin.

1913 ‚Simson': Erstausgabe 1914.

1914 *Juni:* Wedekind-Zyklus in Berlin; Juli in München (bei Kriegsbeginn abgebrochen). Zahlreiche Ehrungen zum 50. Geburtstag.

November: ‚Bismarck' begonnen (Erstausgabe 1916).

1915 *15. April:* Blinddarmoperation (Wunde kann nicht vernäht werden; Bruchgefahr), langsame Rekonvaleszenz.

1917 *8. Januar:* Bruchoperation.

Mai–Oktober: In der Schweiz letzte gemeinsame Gastspiele von Frank und Tilly Wedekind.

5. Dezember: Nachricht vom Selbstmordversuch Tilly Wedekinds am 30. November; Rückkehr nach München.

1918 *2. März:* Bruchoperation.

9. März: Tod Frank Wedekinds.

12. März: Beisetzung auf dem Münchner Waldfriedhof.

Inhaltsverzeichnis

**I   Der Dichter und sein Stück – „eine unerhörte Unflätig-
keit"** 74

Martin Krumbholz: Außerhalb des Sperrbezirks 75

1   Frank Wedekind: „Der Plan entstand nach der dritten
Szene" (1911) 76

2   Frank Wedekind: „Die Erscheinungen der Pubertät bei
der heranwachsenden Jugend" 77

3   Frank Wedekind: Ein „sonniges Abbild des Lebens" (1909) 78

**II   Schulische Erziehung um 1900 – „Wie er umgekommen,
weiß niemand zu sagen"** 79

1   An Adolph Vögtlin 79

2   Stefan Zweig: Die Schule im vorigen Jahrhundert
(1944) 80

3   Georg Heym: An das Provinzialkollegium in Berlin
(1906) 83

4   Friedrich Nietzsche: Kritik an der bildungsbürgerlichen
Jugenderziehung (1874) 87

III Das Drama der Pubertät 89

1   Professor Dr. E. Heinrich Kisch: Die Hygiene der
jungen Mädchen 89

2   Stefan Zweig: Eros Matutinus (1944) 91

3   Frank Wedekind: Über Erotik (1910) 93

4   Sigmund Freud: Zur sexuellen Aufklärung der Kinder
(1906) 95

5   Frank Wedekind: Es gibt keine Selbstlosigkeit (1881) 97

IV Literarische Kontexte 98

1   Paul Heyse: Welch genialisches Streben 98

2   Alfred Kerr: „Faustulus und Gretelchen" 99

3   Johann Wolfgang von Goethe: Faust I – „Meine Ruh ist
hin" 100

4   Johann Wolfgang von Goethe: Faust I – Trüber Tag – Feld 101

5   Siegfried Jacobsohn: Eine lyrische Tragödie (1906) 103

6   Hermann Kienzl: Tragikomödie? 104

V „Frühlings Erwachen" auf der Bühne – Tendenzstück oder lyrische Tragödie? 106

1 Lion Feuchtwanger: Kontraste 106
2 Eine Inszenierung ohne Humor 107
3 Paul Goldmann: „Als dramatisches Werk völlig unzureichend" (1906) 109
4 Ernst Wendt/Henning Rischbieter: Der ästhetische Realismus 112
5 Wedekinds Kindertragödie bekommt am Thalia Theater neue Impulse 116

Lebensdaten 117

Leben und Werk 120

Bildquellenverzeichnis